열일하는
파금기사

열일하는 과금 기사 5

초판 1쇄 발행 2022년 2월 25일

지은이 | 박건
발행인 | 신현호
편집장 | 이호준
편집 | 송영규 최종건 정재웅 양동훈 곽원호 조정범 강준석 최성화
편집디자인 | 한방울
영업 | 김민원

펴낸곳 | ㈜ 디앤씨미디어
등록 | 2002년 4월 25일 제20-260호
주소 | 서울시 구로구 디지털로 26길 111 JnK디지털타워 503호
전화 | 02-333-2513(대표)
팩시밀리 | 02-333-2514
E-mail | papy_dnc@dncmedia.co.kr
블로그 | blog.naver.com/gnpdl7

ISBN 979-11-364-3078-6 04810
ISBN 979-11-364-2823-3 (SET)

박건 판타지 장편소설
5
Papyrus Fantasy Story
열일하는
파국기사
PAPYRUS
파피루스

chapter1.
폭풍 과금

chapter1.
폭풍 과금

스무 장이 넘던 전설이.

"시발."

몇 장의 전설이 되었다.

"아니, 아무리 그래도 그렇지. 하…… 이게 이렇게 되네."

물론 내게는 복구 신청이 있다. 달마다 수천만 원의 과금을 누가 몰래 결재해 주는 거나 다름없는 사기적인 특혜!

문제는 그 정도 특혜를 깔고 가도 신화급이 까마득하다는 데 있었다.

'복구 신청은 한 달에 세 번. 복구 신청만으론 한 달에 합성을 한 번도 시도할 수 없다는 말이야. 농담이 아니라…… 신화급을 뽑는 데 현실 시간으로 몇 년이 걸릴 수

도 있다.'

이제 보니 화점만 먹으면 신화급 카드를 손에 넣을 수 있다 생각한 난 어리석고 안이하기 짝이 없는 놈이었다.

그야말로 머릿속이 꽃밭이고 행복 회로만 잔뜩 돌리고 있던 것과 다름없었다.

'인터넷 공략 때문에 착각했어.'

공략에서 보았던 [화점의 주인에겐 공짜나 다름없다.]는 말은 그저 그들 사이의 이야기일 뿐이다. 화점을 먹을 정도의 과금을 한 플레이어라면, 이미 어지간한 전설 카드는 다 있을 테고, 그저 잔뜩 쌓아 두고 있는 전설급 중복 카드만 합성해도 신화급을 뽑을 터였다.

그러나 나는?

컬렉션을 채우기에 급급하다. 물론 컬렉션 효과가 쏠쏠하게 들어오긴 하지만 그만큼 신화급은 멀어지는 것이다.

"천천히 가야 하나."

물론 년 단위의 기다림을 단축할 방법이 없는 것은 아니다.

과금.

그렇다. 과금하면 된다. 다이아를 주고 소환권을 구매해 합성하면 기다림의 과정 없이 바로 신화급에 도전할 수 있다.

만일 그렇게 한다면 수호령과 펫만 노릴 게 아니라 신

화급 클래스도 노릴 수 있다!

"하……."

그러니까, 그럴 돈이 있다면 그렇다는 말이다.

"일단 여기 정리부터 하고."

결국 당장 신화급을 노리길 포기하고 움직인다.

"돈 벌러 가야겠다."

그러나 그 다짐과는 다르게 나는 한동안 지구로 돌아가지 못했다. 일이 너무 많아 정신없이 바빴다. 하기야, 명제국에서 받아들인 포로가 50만 명이나 되었으니 당연한 일이겠지.

다행히 한 번 기가 크게 꺾인 데다가 개개인의 무력은 우리 쪽이 훨씬 높은 편이었기에 통제에 실패한다거나 하는 일은 없었다.

탕! 탕! 타탕! 탕!

"전 사로 사격 끝 조정간 안정."

"조정간 안정!"

"약실 검사 후 일 사로부터 보고."

"보고!"

성벽 위에서 기관총 사격이 이어진다. 천지를 울리는 굉음에 영맥을 따라 이어진 대로를 걷던 상인과 와일드 보어로 북상하던 훈련병들이 감탄하거나 겁에 질리는 모습들이 보인다.

무슨 민폐냐고 물을 수도 있지만 어차피 해야 할 훈련

이라면 사람들 앞에서 하는 게 낫다. 이 압도적인 사격 훈련은 인류제국의 힘을 더욱더 강하게 각인하는 과정이기 때문이다.

'게다가 사격은 성벽에서밖에 못해. 기관총은 성벽에서 벗어나면 그대로 소멸하니까.'

흔히 오브젝트라고 부르는 물건이다. 기관총 같은 경우에는 공성 오브젝트였다.

오브젝트는 사용자의 레벨이나 능력치와는 전혀 별개로 작동하는 물건을 뜻한다. 50렙 신화급 검사가 다루든 1레벨 초보가 다루든 동일한 데미지를 뽑아 내는 물건.

본래 게임에선 스펙이 낮은 길드원을 위한 물건이다. 스펙이 좀 떨어진다고 정말 아무것도 못 하고 구경하게 만들기보다는 총알이라도 쏟아부어서 아군을 돕게 만드는 것인데.

약간의 문제가 있다.

'총알이 당연히 탄띠로 리젠이 되어야지 탄환으로 리젠되는 게 어디 있어!'

게다가 알아서 총알이 장전되던 게임과 달리 현실에는 아무런 보정이 없기에 기관총을 쏠 때마다 탄환을 장전하며 쏘아야 한다. 기관총을 저격총처럼 쏘는 코미디가 발생하게 된 이유였다.

"런닝맨 소위! 987점! 1등!"

우렁찬 발표에 주위에서 '오오.'하는 탄성이 터져 나온다.

내 옆에 서 있던 헌터 중위가 혀를 내두른다.

"대단하군요. 경비대의 평균 점수가 500점이 안 넘는데."

녀석의 말에 고개를 끄덕이며 생각했다.

'일 킬로미터 거리에서 저격총도 아니고 기관총으로 이 정도 점수라. 민첩 스텟의 힘인가?'

그러나 그런 것치고는 다른 녀석들의 점수는 형편없는 상황. 녀석이 기관총을 내려놓고 빠지자 다음 인원이 성벽에 늘어선다.

"준비된 사수로부터 사격 개시!"

투두두! 타탕!

다음 사격이 시작되는 모습에 헌터를 칭찬했다.

"성적들이 훌륭하군. 개중 탁월한 인원도 있고. 잘 교육했어."

"폐하께 배운 바를 전달했을 뿐입니다."

예의상 하는 말이 아니라 사실이다.

하기야 중세 랜드에서 기관총을 쏠 수 있는 사람이 누가 있겠는가? 당연히 내가 가르쳐야지.

"그래. 잘 부탁한다."

"충성!"

새로운 수도의 역할을 하기 시작한 아이언 캐슬은 빠르게 안정되고 있다.

50만이나 되는 전쟁 포로들은 신병이 되어 훈련소에

입소하거나, 개척지의 노동자가 되거나 하는 식으로 각 성에 뿔뿔이 흩어졌고, 생각보다 수월하게 흡수되었다.

평범한 국가가 자국민의 몇 배가 넘는 난민을 받아들이면 그대로 파멸하고 말 것이라는 걸 생각해 보면 인류제국의 케이스는 대단히 특이한 상황.

그러나 인류제국에게 끊임없이 멧돼지 다리를 쏟아내는 와일드 보어 성이 있다는 걸 생각해 보면 사실 당연한 일이다.

'일반적인 국가 운영하고는 좀 다르지. 상시 치트를 치고 있는 셈이니.'

먹거리의 힘은 실로 위대해서 당연히 있어야 할 소요 사태도, 반란이나 시위도 억제했다.

심지어 전쟁에서 패해 복속된 명 제국의 국민들이 더 극렬하게 [인류제국 만세!]를 외치며 충성을 다짐하는 상황.

간혹 명 제국의 귀족 출신들이 반란을 모의하거나 수작질을 부리려 들면 그 누구보다 빠르게 그 사실을 신고하거나 본인들의 손으로 무산시켜 버렸다.

"이제야 살 만해졌는데 개짓거리하지 마!"

"맞아! 이제 우리는 매일 고깃국을 먹는다고!"

사람이 너무 부족해 비명을 지르던 게 원 상황이었던 만큼 명 제국 사람들은 쉽게 인류제국에 녹아들었다. 그들은 집과 땅을 받았으며 그 숫자는 그대로 인류제국의 생산력이 되었다.

플레이어의 수도 점점 늘어간다.

지속적으로 늘려 온 길드의 수가 어느새 서른 개를 넘어서자 출석 보상, 길드 콘텐츠 등으로 수많은 플레이어들이 명예 코인을 수급하게 되었기 때문이다.

그리고 그렇게 명예 코인이 쌓이면?

길드 상점에서 [하급 소환 카드]를 구매할 수 있다.

새로운 플레이어는 다시 명예 코인을 벌고 그들은 길드에서 하급 소환 카드를 구매했다. 그리고 다시 새로운 플레이어가 생겨나고의 무한 반복.

'덕분에 나 혼자 등골 빠지게 클래스 카드를 대야 하는 상황에서 벗어날 수 있었지만…… 위험 요소는 있다.'

지금까지 클래스 카드는 온전히 내 통제하에 들어와 있었다. 플레이어를 [정예병]이라 불러 왔다는 건, 플레이어의 대부분이 군인이라는 뜻이니까.

그러나 길드가 늘어나며 늘어날수록 소환 카드를 통제하는 것이 힘들어진다. 극단적으로 말하자면, 이는 황권의 약화로 이어질 것이다.

'하지만 어쩔 수 없다.'

화점은 특별한 착점이지만 고렙 존은 아니다.

앞으로 나올 몬스터들이 기본이 희귀급이고 영웅, 전설급이 수두룩할 텐데 플레이어의 수를 제한한다면 인류제국에는 미래가 없다.

수의 폭력이라는 건 대단히 유효한 수단이지만 그것도 어느 정도지, 압도적인 차이가 나면 다 소용없는 일이기 때문이다.

몰려올 적의 숫자가 적다는 보장도 없으니 더욱 그렇다.

시간이 지나간다.

가을이, 겨울이 지났다. 그리 길지 않은 시간이었지만 인류제국은 무서운 기세로 성장했다. 주변의 난민들을 받아들이고 플레이어의 수를 늘려나갔다.

'순조롭다.'

평화로운 나날이었다. 인류제국이 하루가 다르게 발전해 나가는 시간들.

문제는 그렇겐 발전하는 게 우리뿐만이 아니라는 점이다.

"이거 위험한데……."

바둑판을 바라보는 얼굴이 절로 찡그려진다. 온갖 종류의 말로 어지럽던 바둑판이 점점 단조로워지고 있었기 때문이다.

당연하지만, 전혀 좋은 징조가 아니다.

"역시…… 다른 화점들은 외곽까지 영역을 넓혔군."

하급 몬스터로 구성된 외곽의 던전들이 모조리 정복당했다.

당연한 말이지만 그 던전에서는 이제 속성 몬스터가 쏟

아지고 있을 테고, 그들이 착점을 차지한 만큼 스페셜 보스는 더욱 강해졌을 것이다.

"내부의 고위 몬스터들도 점점 추려지고 있어."

꼼짝 않고 있는 신화급 몬스터, 망령룡과 다르게 그 주변의 몬스터들은 하루가 멀다고 엎치락뒤치락 싸우고 있다. 어제는 사이클롭스의 영역이던 착점이 오늘은 드레이크의 영역이 되는 난장판.

그리고 그렇게 멸망할 몬스터는 멸망하고 득세할 몬스터는 득세하는 식으로 상황이 정리되면, 그 여파는 반드시 우리에게 몰아치게 될 것이다.

플라워 : 영주님, 보고입니다.

"……후."

내면세계에서 빠져나와 채팅에 답변하자 플라워가 집무실에 들어온다.

"무슨 일이지?"

"적이 접근 중입니다."

그렇게 말하며 내게 패드를 넘긴다. 거기에는 [스크린샷]으로 찍어 낸 수만, 아니 어쩌면 그 이상의 군세의 모습이 있다.

"올 게 왔군."

지금 우리 영역에 맞닿은 몬스터 세력은 총 세 종류다.

서쪽에서 영역을 넓혀 가는 상변화점의 썬더버드. 남쪽에서 세력을 키워 가고 있는 우변화점의 광신자 에드워드. 그리고 안쪽. 그러니까 고렙 존에서 종종 흘러나오는 와이번이나 그리핀 같은 비행 몬스터들.

종종 간을 보는 녀석들을 카심을 타고 가서 박살을 내 버리며 진출을 막았는데 드디어 작정하고 몰려오는 것이다.

"목표 지점은?"

"이곳, 아이언 캐슬입니다."

"이것들 봐라?"

어이가 없어 웃는다. 인류제국의 국경에는 다른 약한 성이 많아 걱정했는데 굳이 신화급 성으로 와 준다는 말이 아닌가? 광신자 무리는 인간형 몬스터라 머리가 제법 굴러 간다고 들었는데 더없이 오만하고 멍청한 선택이다.

"플라워. 전군에 3급 경계 태세를 내린다. 최소 인원을 제외하고는 던전 공략을 멈추고 수성전을 준비시키도록."

"네, 폐하."

그런데 그 순간이었다.

띠링!

패드에서 알람음이 울렸다.

"……뭐지?"

나는 페이지를 넘겼다. 간단한 보고와 함께 새로운 스크린샷이 떠 있다.

샛노랗게 빛나고 있는 썬더 엘리멘탈과 전격을 몸에 두른 온갖 종류의 몬스터들이 오와 열을 맞춰 전진하고 있다.

그리고 그들 위를 위풍 당당히 날고 있는 것은.

"썬더버드."

띠링!

"……."

또다시 울리는 알람에 플라워와 내가 동시에 얼굴을 굳혔다.

페이지를 넘기자 간략한 보고와 함께 하늘을 새까맣게 물들이고 있는 수천 마리의 와이번이 보인다. 보고 내용을 보니 역시나 목적지는 아이언 캐슬이다.

"동시에 온다고?"

이게 만약 우연이라면 대단히 큰 기회이리라. 녀석들끼리 싸움을 붙이면 어마어마한 피해를 발생시킬 수 있겠지.

그러나 이게 우연일 리 있겠는가?

"플라워. 1급…… 아니, 전시 상황이다. 던전 공략을 중지하고 수성을 준비하라고 전해. 아이언 캐슬뿐이 아니라 모든 인원을 성안으로 받아들여. 성문을 닫는다."

"즉시 전달하겠습니다."

플라워가 급하게 엘리베이터를 타고 내려간다. 나는 그녀가 나간 후 도시의 모습을 내려다보았다.

이내 시끄러운 경고 방송이 도시에 울려 퍼지고 사람들이 바삐 뛰어다니는 모습이 보인다.

"하."

한숨이 나온다. 왜냐하면, 알고 있기 때문이다.

아무리 신화급 성이라 하더라도 지금 이 상태로 저만한 수준의 몬스터를 막는 것은 불가능하다. 서쪽에서 썬더버드가 오고 있다는 건 남쪽의 군세에도 광신자(狂信者) 에드워드가 포함되어 있다는 말일 테니까.

다만 공포를 느끼진 않는다.

"돈…… 진짜 많이 벌어야겠네."

뭔가 피로가 몰려오는 것을 느끼며.

"로그아웃."

거의 반년 만의 지구로 향했다.

오랜만에 돌아온 숙소 침대에서 한참 동안 고민한다. 고민의 주제는 단 하나.

어떻게 돈을 벌 것인가?

웹 소설 연재로 꽤 많은 돈을 벌었지만 슬슬 한계에 이르렀다. 괜찮은 작품이 떨어져 가고 있기 때문이다.

'물론 명 제국이라든가, 신성 제국을 뒤지면 조금 더 찾아낼 수야 있겠지만…… 너무 위험해. 그 위험을 감수하

고서도 결과물이 없을 가능성도 크고.'

아르데니아의 핵심적인 대도시 대부분이 착점에 집중되어 있기에 벌어진 참사.

물론 지금 이대로도 수입이 전혀 없는 것은 아니다.

[안녕하세요. 작가님!^^ 도서출판 초록용용이입니다.]

이북 정산서를 보내 드리오니, 확인 부탁드립니다.

무더운 날씨에 건강 유의하시고,

앞으로도 좋은 글 부탁드립니다!

인세가 들어왔다.

'그래. 원래 웹 소설은 이 인세 때문에 쓴 거였지.'

[킬리언스 작가님 7월 정산서]

이런저런 내용이 있었지만 중요한 건 맨 아래 있는 정산액이다.

정산액 : 4,182,000원

4백만 원.

초라하기까지 했던 초반 성적에 비하면 괄목할 만한 성과다. 물론 중세 시대 감성을 가지고 있는 아르데니아의 작품들은 온갖 매체로 단련된 현대의 독자들에게 인기가 없었지만, 극소수나마 매니악한 팬층이 존재하는 상황에서 무지막지한 물량을 쏟아 내니 글만으로도 충분히 먹고 살 만한 수익이 발생하게 되었다.

"……."

그러나 미소는 피어오르지 않는다. 나는 두 눈을 감았다.

'모자라다.'

고작 '먹고 살 만한 수익' 정도로는 리벤지를 플레이할 수 없다. 수만, 아니 수십만의 국민을 이끄는 내 처지에서는 더더욱 그러하다.

극단적으로 말해 4백만 원은 클래스 카드 4백 장을 뽑으면 끝나는 돈이 아닌가? 예전이었다면 충분히 만족했을 테지만, 이제는 그럴 수 없다. 신화 성을 보유하고 제국을 선포한 지금, 그 정도 돈으로는 방어 건물조차 제대로 건설할 수 없었다.

"아, 그 수상할 정도로 돈이 많은 후원자들 때문에 금전 감각이 완전 망가져 버렸어."

그러나 상황은 이미 늦어, 커진 씀씀이를 다시 줄일 수는 없었다. 어떻게든 지금 과금에 맞는 수익을 낼 수 있어야 한다.

"방법은 두 가지인가."

첫 번째는 백과사전 같은 상황을 다시 노려보는 것이다.

말하자면 한탕 대박.

정체불명의 후원자들은 뭔가 역사적으로 큰 의미가 있거나 만드는 데 커다란 노력이 들어간 작품들을 선호하니 좀 위험하더라도 직접 움직여, 혹은 사람들을 풀어서 그런 작품들을 구하는 것이다.

예를 들자면 신성제국에 있다는 [빛의 성서]나 황금마탑의 [마도전서]. 크리스털 연맹의 [세계수의 서], 혹은 [강철 불꽃 기술서] 등등.

당연히 구하기 힘든 물건들이겠지만 일단 구하기만 하면 백과사전 때와 마찬가지로 십수억. 어쩌면 그 이상을 후원받을 수 있을지도 모른다.

후원자들의 정체는 알 수 없지만 짐작건대 그들은 예산에서 자유로운 초월자로 보였다. 작품이 마음에만 든다면 거침없이 거액의 돈을 써 줄 것이다.

'하지만…… 너무 운에 기대는 방식이다.'

후원자들의 기준은 그저 내 짐작일 뿐이다. 만일 죽을 고생을 해서 강철 불꽃 기술서를 구하고 다시 긴 시간을 할애해 그것을 필사했는데 수백만 원 정도의 후원금이 끝이거나 아예 후원이 없다면 난 어디 가서 따질 수도 없다. 아무도 내게 뭔가를 약속한 적이 없으므로.

'다른 방법도 있지.'

두 번째 방법은 현대에도 팔릴 만한 글을 쓰는 것이다. 물론 내가 쓰는 것은 아니고 문인들을 양성하는 방향이다.

던전을 돌면 먹을 것도 입을 것도 사치품도 병기도 쏟아져 온 국민 전체가 전투 민족이 되어 가고 있는 요즘이지만.

당연히 전투가 적성에 안 맞는 사람들이 있을 것이다. 투쟁심이 모자라고 배틀 센스보다는 문학적 재능을 가진 이들이 분명 있겠지. 내가 그들을 후원하고 현대의 작법을 가르쳐 작품을 쓰게 한다면?

이건 확률이 아니다. 분명 괜찮은 결과가 나올 것이다.

'문제는 너무 오래 걸린다.'

타임머신을 타고 과거로 날아가 셰익스피어를 납치. 웹 소설을 한 1만 권쯤 읽게 한다면 분명 셰익스피어는 현대인들에게도 먹힐 법한 웹 소설을 써 낼 수 있을 것이다.

그러나 그게 바로 될 리가 있겠는가? 현대의 웹 소설과 과거의 작품들은 그 근간을 이루는 세계관부터 달랐다.

"아! 머리 아프다, 정말!"

자리에서 일어난다. 개인 샤워실에 들어가 몸을 씻고 로션을 발랐다. 아무리 머리가 아파도 움직여야 했다.

왜냐하면, 세 번째 방법도 있었기 때문이다.

"안녕하세요!"

"좋은 아침입니다!"

인사하는 스태프들에게 대충 고개를 끄덕이고 지나가는 내 등을 누군가 달려와 후려친다.

"야, 이놈아!"

퍽!

화끈한 통증에 절로 인상이 찡그려진다. 하마터면 반격을 날릴 뻔했다는 걸 깨달은 난 스스로의 감정을 추스르고 고개를 돌렸다.

"……뭐지?"

최대한 자제한 질문이었음에도 절세미남, 성재는 눈썹을 꿈틀거리며 날 타박했다.

"뭐지? 뭐지이이이? 야, 스태프 분들 인사를 그렇게 받으면 어떻게 해? 촬영 얼마나 했다고 벌써 배우병 걸렸니?"

"……아."

그의 말에 정신을 차리고 주위를 둘러본다.

내게 밝게 인사를 날렸던 스태프들이 애매한 표정을 짓고 있는 게 보였다.

'아차…….'

내 실수였다. 아르데니아에서 너무 오래 있었던 부작용. 사람들이 눈만 마주쳐도 오체투지하고 고개만 끄덕여 줘도 황송해 하던 생활을 이어 나가다 보니 일반인의 태도를 잃어버렸다.

얼른 사과한다.

"아, 죄송합니다. 다른 생각을 좀 하느라고."

"아, 네에……."

여전히 식은 답변이다. 하기야 반응을 안 한 게 아니라

고개를 까딱하고 지나쳤으니 당연한 일이다.

"어휴! 신인들이 다 겪는 일이에요! 죄송합니다, 죄송! 제가 잘 교육할게요!"

환히 웃는 성재의 모습에 스태프들의 얼굴이 붉어진다.

"아니, 너무 그러지 마세요. 무안하게. 무슨 갑질을 한 것도 아니고."

"괜찮아요, 괜찮아."

애매해질 뻔한 분위기를 수습한 성재는 미소로 그들을 보내고 나를 식당으로 끌고 갔다.

"모두 좋은 아침입니다!"

"오, 세연 누나. 블라우스 이쁘네요."

"하인츠 형! 영상은 예쁘게 나왔어요?"

"사쿠라 씨! 어제 거인족 무시무시했어요. 하마터면 비명 지를 뻔!"

한 번 혼났기 때문인지 언제나 똑같은 성재의 행동이 다시 보인다. 탑 클래스 배우임에도 불구하고 모두에게 친절하고 살가운 행동. 놀랍게도 그는 촬영장 대부분의 사람과 친해 보였다.

물론 사람들하고 친한 게 과해서 사방에 염문을 뿌려대는 문제가 있었지만, 그런데도 그를 싫어하는 사람이 많지 않은 것은 그가 인간관계에 능하다는 말이리라.

달깍.

음식을 담은 접시를 테이블 위에 내려놓은 성재가 입을 연다.

"무슨 일이야?"

"무슨 일이라니?"

"아니, 아무 일도 없는데 태도가 하루아침에 그 모양이 돼? 조심 좀 해, 이 녀석아. 너도 이제 연예인이야. 이제 막 날개를 펼치려는 참인데 인성 논란 터지면 낙인이 박혀서 연예계 생활 내내 꼬리표처럼 달라붙는다고. 가뜩이나 넌 눈매가 사나워서 위험하거든! 정색만 하고 있어도 화난 것 같단 말이야!"

평소와 다른 엄한 목소리에서는 톱스타다운 관록이 묻어 있다. 비교적 젊은 나이라곤 하지만 그는 5살 때부터 연기를 시작한 베테랑. 이쪽으로는 나와 경험치 자체가 다르다.

"미안."

그걸 알고 있는 난 즉시 사과했다. 내가 황제인 건 아르데니아에서지 지구에서는 아니라는 걸 알고 있었는데도 이렇게 되다니 내 잘못이 크다.

"아니, 나한테 미안할 일은 아닌데."

"그리고 고맙다. 내가 큰 실수를 할 뻔했어."

사실 연기에 대한 욕심은 그리 많지 않다. 막연히 '해보니 생각보다 할 만하고 재미있는데?'라고 느끼는 정도.

그러나 돈을 벌어야 하는 상황에서 영화배우라는 직업

은 매우 훌륭한 선택지다. 앞선 두 방법과 달리 아르데니아에 들를 필요조차 없는 세 번째 방법.

당연히 잃어버리거나 문제가 생기는 건 내가 바라는 바가 아니었다.

"……알면 됐어. 그래도 인정은 잘하니 싹수가 있네."

성재를 어깨를 으쓱하고는 식사를 시작했다.

나 역시 배부르게 음식을 먹었다.

6성 호텔만큼은 아니어도 촬영장 식사 또한 매우 맛있는 편이다.

"그나저나 걱정이라도 있는 거야?"

"돈 걱정이지, 뭐."

내 말에 성재가 웃는다.

"모든 현대인의 걱정이로구만. 내가 좀 빌려 줄까?"

순간 반색할 뻔했지만, 간신히 자제했다. 그것은 역설적으로 돈이 너무 많이 필요했기에 벌어진 일이다.

'얼마가 필요한지 나도 알 수가 없다.'

나는 지금 딱 얼마가 필요한 그런 상황이 아니다. 쓰려고 한다면 정말 무한정하게 돈이 필요한 것.

어디에 투자하거나 사업을 하는 게 아닌, 문자 그대로 끝도 없이 돈을 붓기만 해야 하는 상황에서 돈을 빌리는 건 너무 위험한 짓이다.

"그런 식으로 해결될 문제가 아니야. 그냥…… 앞으로 무슨 일을 해야 벌이가 좋아질까 하는 거지."

나는 접시를 들고 가 닭튀김을 더 받아왔다.

바사삭.

'아…… 좋군.'

한동안 잊고 있었던 현대 요리의 맛.

황실에 취업한 요리사들도 제법 괜찮은 실력을 갖추고 있긴 하지만 한정적인 재료와 조미료의 한계로 성에 차는 결과물을 내지 못했다.

그렇게 짧은 기쁨을 느끼고 있는 내게 성재가 어이없다는 듯 말한다.

"아니 그런데 사실 돈 문제라면 할 이유가 없잖아?"

뜻밖의 말에 닭튀김을 내려놓는다. 돈 이야기는 치킨만큼이나 경건하다.

"……어째서?"

"너 러닝 개런티로 계약했잖아. 배우 생활 40년 가까이 한 관록으로 보자면……."

작은 그릇에 담아 온 우동을 호로록 마시며 성재가 웃는다.

"이 영화. 무조건 터질 테니까."

"……."

그제야 나는 주위를 둘러보았다. 의상 팀과 메이크업 아티스트들이 배우들을 단장하고 스턴트맨들이 합을 맞추고 있다. 마법사들이 몽환의 조각을 빚어 내 만든 괴수를 마찬가지로 마법사로 이루어진 조형 팀이 이리저리

주물러 모양을 만들고 열 종류도 넘는 카메라를 든 그립 팀이 촬영장을 뛰어다니며 더 좋은 각도를 찾고 있다.

이 수많은 사람. 하나같이 정도 이상의 능력자에 고위 능력자도 상당수다. 하물며 이들이 작업하는 장소는 지구도 아닌 이차원이고 그 안에서 사용할 물자들도 다 최고급품.

'그러고 보면…… 얼마가 있어야 이런 일을 할 수 있지?'

촬영 과정 전체에 대해서 생각해 본 적이 없었다. 그도 그럴 것이 나는 이곳의 관리자가 아닌 부품 중 하나에 불과하기 때문이다.

그런데 이토록 엄청난 규모로 돈을 쓰고도 그 이상을 벌 수 있단 말인가?

"재연 씨! 왔어? 드디어 자네 마지막 촬영이야."

앨런 감독이 나를 반긴다. 잠을 얼마나 안 잤는지 눈가가 퀭하고 안색이 창백한 상태. 그런 주제에 두 눈은 형형하니 보통 사람은 마주하는 즉시 압도될 정도다.

"그래요. 마지막입니다."

"아! 시간이 너무 부족해. 으 빡빡하다. 몽환계 다 좋은데 시간제한은 진짜!"

버럭 소리를 지르고는 대본을 던져 준다.

'무슨 영화에서 쪽대본이야.'

쓰게 웃으며 대본을 살핀다. 마지막 장면은 내가 연기

하는 캐릭터인 도검이 자신의 고향별 행성, 그것도 자신이 황태자였던 제국 출신의 노예들을 구출하는 장면이다.

어지간한 제국보다도 강력한 세력, 우주 해적 바사라의 함대장이 될 기회를 얻게 되었던 도검은 느닷없는 사건 때문에 인생이 꼬이게 된다.

대우주 최고의 학문 기관에 들어갈 정도의 인재. 병무와 그를 수행하는 궁녀처럼 보이지만 사실은 강력한 힘을 가지고 있는 혜선과 얽히게 된 것이다.

거대한 폭풍에 휩쓸린 그는 본의 아니게 온갖 난관을 헤쳐 나가게 된다.

신, 악마, 우주 괴수와 언네임드가 얽힌 아수라장.

그리고 영화가 종반부에 들어왔을 때, 도검은 선택의 순간을 맞이하게 된다.

한 번만 눈 감으면, 딱 한 번만 눈을 감으면 그토록 바라고 염원하던 함대장이 될 기회.

그러나 그것을 위해서는 노예 수백 명을 우주 괴수들 사이에 내버리고 달아나야 한다.

"넌 누구야! 다 모르겠으니까 당장 꺼져!"

허름한 복장의 사내가 레이저 소총을 겨누며 위협한다.

"난……."

나는 준비된 대사를 읊으려다 멈칫했다.

'이게 맞나?'

도검이 제국과 그 신민(臣民)에 부채감을 가진 것은 사실이다. 내가 연기한 몇 개의 씬들에서도 그런 단서들이 있었다.

그러나 나, 도검은 황제로서 살아 오지 않았다. 그의 근본은 황태자였으나 그가 살아 온 인생의 대부분은 무자비한 우주 해적.

비록 선을 지키며 살아 왔다고 해도 무도한 인간들 사이에 섞여 수십 년을 살아온 내가 갑자기 감동적인 연설로 사람들을 휘어잡는다는 건 너무도 부자연스럽다.

"뭐, 뭐냐! 뭘 그렇게 보는 거냐!"

조연 배우가 당황한 얼굴로 애드리브를 친다.

아마 속으로는 미친 듯이 욕을 하고 있을 것이다. 지금 우리가 찍는 씬은 중간에 실수했다고 끊어 갈 수 있는 그런 장면이 아니었기 때문이다.

두두두두!

두두두두두!

"키에에엑!"

산맥 여기저기에서 우주 괴수들이 모습을 드러낸다. 언터쳐블을 감염시켜 하나하나가 완성자에 맞먹는 전투력을 지니게 된 괴물들.

그런 괴물들이 괴성을 지르고 있음에도 나는 달아나는 대신 수백의 사람들을 바라보았다. 그 스스로도. 그리고 누구도 인정해 주지 않을 내 신민들이었다.

"따라 와."

"무슨 소리를 하는 거야? 네가 누군데 따라오라고 하는 거야!"

기겁해 소리치는 그에게는 미안하다. 미리 말하고 허락을 받고 했으면 더 좋았을 텐데.

그러나 이미 늦었다.

"내가 정면을 뚫을 테니 따라와."

"아니, 당신이 대체 누구냐니까?"

"멈추지 말고 달려야 한다."

"누구냐고!"

했던 말을 반복한다. 상황이 꼬여 버리니 장면에 맞든 아니든 그냥 준비된 대사밖에 내뱉지 못하는 것이다.

그뿐이 아니라 사람들도 웅성거렸다. 예상치 못한 상황에 어찌할 바를 모르고 당황하는 모습.

그리고 그 상황에서, 나는 숨을 들이켰다.

"봐라!"

인간을 초월한 성량에 공간이 쩌렁쩌렁 울린다. 웅성거리던 사람들이 얼어붙어 나만을 바라보고 있다.

두두두두두!

"키야아악!"

이미 마법사에게 명령을 받은 괴물들이 달려오는 소리만이 주변에 가득한 상황. 나는 다시 소리쳤다.

"나를 봐라! 나는 너희의 왕도, 지도자도 아니다! 나는 너희를 보듬지도 보호하지도 않는다!"

"무, 무슨. 무슨 소리를."

완전히 압도된 사람들을 등지고 검을 뽑아 든다. 그리고 검신으로 입을 가린 채 작게 중얼거렸다.

"냉기(冷氣). 현문(賢門). 개방(開放)."

쩌저저저적!

무지막지한 냉기가 피어오른다. 화점의 힘으로 발휘하는 요소는 아르데니아와 마찬가지로 수인을 맺을 필요가 없었다.

"나는!"

나는 그들을 다그쳤다.

황제로 태어났으나 황제로서 자라지 못한 사내의 난폭함이었다.

"나는 깃발이다!"

카드득!

전신이 얼음에 뒤덮인다. 무작위였던 얼음은 삽시간에 매끄러운 갑주의 형상을 취했다. 내 뒤에 있는 사람들은 멍하니 그 모습을 바라보기만 했다.

"그냥!"

나는, 도검은 그들을 설득하지 않는다. 멸망한 제국의 황태자는 그렇게 살아 오지 않았다.

"그냥 따라와라!"

그렇게 말하고 뒤돌아 달리기 시작한다. 그 앞으로 새까맣게 몰려드는 괴물들!

"아, 모르겠다! 뛰어!"

"달려!"

"와아아아아!"

어찌할 줄 모르던 사람들이 그 뒤를 따라 달리기 시작한다. 나는 그들 중 누구보다 앞서 막아서는 모든 괴물을 쓸어 버렸다.

함성과 비명. 살점과 핏물.

'끝이군.'

나는 검을 휘둘렀다.

기나긴 촬영이, 드디어 끝나가고 있었다.

* * *

"……."

앨런 감독은 각본을 완전히 무시해 버린 전개를 아무런 표정 변화 없이 바라보았다.

언제 도검이 황족으로서의 스스로를 드러낼 것인가?

그것은 앨런이 계속해서 신경 쓰고 있던 포인트였다. 과연 언제 밝혀야 할까? 언제 그것을 밝혀야 가장 극적일까? 그것을 고민하고 또 고민하며 대본을 썼다. 가장 완벽한 타이밍에 자신이 황제라는 것을 밝히고, 제국을 그리워하는 신민들이 그를 따르는 순간을.

그러나 이 순간. 그는 깨달았다.

도검이 황족으로서의 모습을 가장 완벽하게 드러내는 방식은.

그가 스스로의 정체를 밝히지 않는 것이라는 사실을.

“이건, 이건 정말…….”

영화계에서도 잔뼈가 굵은 그다. 이런 일은 많이 겪어 봤다. 자신의 실력에 자신이 있는, 혹은 전개나 대사에 불만이 있는 베테랑들이 종종 이런 짓을 했다.

재연이 한 것도 그 흔한 시도 중 하나일 뿐이다. 그가 대단히 복잡하거나 완벽한 대사를 뽑아 낸 것도 아니지 않은가?

사실 그의 대사는 그가 써 놓은 원판보다 못한 상황.

그러나.

“……멋져.”

대단하거나 훌륭한 대사는 아니었다. 마치 날것처럼 투박한 대사. 문제는 그 대사를 읊어 내는 재연의 모습이었다.

그 아우라.

그 카리스마.

감탄이 절로 나온다. 그저 연기를 잘하는 것만으로는 도저히 흉내 낼 수 없는 분위기가 그에겐 있었다.

“어제만 해도 이러지 않았는데…… 대체 하루 만에 무슨 일이 일어난 거지?”

앨런은 그저 홀린 듯 화면을 바라보았다.

황제가, 거기에 있었다.

* * *

모든 촬영이 끝났다. 물론 후처리 작업 등이 남았지만 그것은 감독이나 편집 기사가 고민해야 할 문제.

앨런 감독은 섬 하나를 통째로 빌려 촬영 팀 전부에게 휴가를 선물해 주었다.

"으아아! 바다다!"

"바베큐 굽자, 바베큐!"

"나는 일주일쯤 잘 거니까 깨우지 마세요."

배우와 촬영 팀, 마법사와 생산계 능력자 수백 명이 환호성을 지르며 사방으로 흩어진다.

나는 적당히 가벼운 복장으로 선베드에 누워 체다의 배를 두들겼다.

장난스러운 여신의 얼굴이 굳고 금빛 카드가 떨어진다.

-자연의 소리를 들어보세요. 아름답지 않나요?

영웅급 클래스, 엘더 드루이드의 모습에 절로 인상이 찡그려진다.

"또 꽝이네. 100분의 1이라는 게 생각보다 만만치 않구만."

무과금이나 다름없던 난 대기업 이사들도 감히 노릴 생각도 않던 신화급 클래스. 검신을 뽑게 되었다.

그게 가능했던 건 내가 수십억 분의 1. 혹은 수십 조 분의 1의 확률을 통과했기 때문이 아니라……. 단지 1억 원의 천장에 걸렸기 때문이다. 1억이 넘는 돈을 쓰는 동안 단 한 장의 영웅 카드가 나오지 않자 확률이 변동되어 영웅(90%), 전설(9%), 신화(1%)의 드랍 테이블이 적용되었던 것. 이 사실은 기사와 뉴스로까지 나와서 나도 모를 수가 없다.

“아, 중복이 한 번만 뜨면 되는데 그게 안 되네…….”

나는 신화 뽑기에 성공한 원인을 안 이후로 과금액이 1억을 넘길 때마다 꼬박꼬박 클래스 뽑기를 하고 있다.

그러나 결과는 올 영웅.

확률 이하의 결과에 욕이 절로 나온다.

“아니, 내가 백만 분의 일을 바랐나, 천만분의 일을 바랐나. 백분의 일이 안 뜨다니…….”

만약 내가 또 신화 클래스를 뽑게 된다면.

그리고 그게 마침 또 하필 검신이라면 어떤 일이 벌어지는가?

‘아르데니아로 가져갈 수 있어.’

그렇게 된다면 내 전투력은 지금과 비교조차 할 수 없이 강력해진다. 화점을 먹으면서까지 추구했던 목표가 단숨에 달성되는 것!

그뿐이 아니다.

'심지어……. 복구 신청도 할 수 있다.'

"확률이 높아서 더 미치겠네."

그 말대로 이건 절대 천문학적인 확률이 아니다. 신화급 카드가 나올 확률이 고작 100분의 1. 거기에 현존하는 신화 클래스라고 해 봐야 18종에 불과하다.

1,800분의 1.

퍼센트로 하면 0.056%!!

'가능성이…… 있어!'

충분히 노려 볼 만한 확률이고 시도하면 할수록 성공 가능성은 점점 커진다.

안 할 이유가 없는 은혜로운 구성!

다만.

"1회의 시도에 1억……."

당장은 더 시도할 수 없다.

"뭐가 1억이야? 재테크 해?"

여자들을 끼고 하하호호 하던 성재가 쓱 다가와 말을 건다.

그는 체다의 배에 떠 있는 화면을 보고 말했다.

"아, 재테크가 아니라 과금이구나. 1억 이야기 나오는 거 보니 이제 공성전 참여할 스펙 되겠어!"

"응. 아니야~ 존나 약해."

"아니, 신화 클래스가 있잖아! 나머지는 정말 조금만

받쳐 주면 된다니까?"

"그 조금이 없어요."

과금을 하는 족족 아르데니아에 쏟아붓는 상황이었기에 리벤지의 캐릭터는 도통 강해지지 않는다. 매일 매일 24시간 자동 사냥을 풀로 돌려도 그것은 마찬가지.

그나마 지금은 주식의 힘으로 아르데니아에서 상점을 열 수 있으니 망정이지 예전에는 골드도 다 써서 강화도 못 할 지경이었다.

"아니, 과금 많이 하는 거 아냐? 볼 때마다 캐시 결재하고 있던데."

"다 삭제한다니까."

내 태평한 답변에 성재가 기막혀 한다.

"아니! 좀 남기라고! 억대로 과금하는 데 조금도 안 세지는 게 말이 돼?! 캐릭터가 강해지면 더 많이 삭제할 수 있다니까?"

틀린 말은 아니다. 실제로 검신 클래스를 얻은 이후 파밍하는 골드와 아이템의 수준이 비교도 할 수 없이 높아졌으니까. 특히나 냉기 수호의 반지의 경우는 몇 번이나 부서트리면서도 기어코 9강에 성공하고 기사들에게 나눠 줄 정도로 많이 얻을 수 있었으니, 그 이득을 돈으로 치면 한두 푼이 아니다.

"하지만 어쩔 수 없는걸. 성장 가속이 어마어마하기도 하고."

"나 참. 차크라 수련자 중 해괴한 사람이 많다는 말은 들었지만……. 그나저나 성장에 가속이 붙는다니, 얼마나 붙는데? 너 몇 살이야?"

성재의 질문은 나도 항상 하는 고민이다.

나는 일종의 소우주, 혹은 내면세계라 할 수 있는 아르데니아에서 나이를 먹지 않는 존재다. 그 증거로 지구에서는 평범하게 성장하던 내가 아르데니아에서는 20년이 넘도록 외면에 변화가 없었다.

'나를 24살이라고 해야 하나 아니면 45살이라고 해야 하나?'

결국, 내가 해 줄 수 있는 답변은 이 정도다.

"65년생이야."

"……!!"

내 말에 깜짝 놀란 성재가 자세를 바로 한다. 그 난데없는 모습에 당황해 묻는다.

"왜 그래?"

"아, 아니 지금까지 죄송했습니다. 설마 초대 황녀님보다도 연장자실 거라고는……."

과하게 정중한 녀석의 말에 눈살을 찌푸린다.

"2065년."

"……?"

"1965년생이 아니라."

"……!!"

성재가 멍한 표정으로 나를 바라본다. 도저히 믿기지 않는다는 얼굴이었다.

"20대…… 라고?"

"정확히는 24살."

"……아니, 이게 뭔 미친 소리야. 24살이 8클래스 고위 마법사를 때려죽였다고? 아, 아니 그보다! 너 이 어린놈의 새퀴가 여태 말을 놨어?! 형이라고 불러!"

대뜸 들어오는 장유유서 공격에 어깨를 으쓱인다.

"이 정도 나이 차면 형이 아니라 삼촌이나 아저씨지. 종말 프로젝트 전이면 아빠 자식뻘인데."

"무, 무슨 옛날이야길 하고 있어! 요새 결혼 적령기는 쉰둘이거든?!"

"뭔 소리야. 아무리 그래도 마흔 이전이지."

"무슨 소리! 고위 능력자라는 전제를 걸어야지!!"

한참을 흥분해 씩씩거리던 성재는 이내 진정하고 말을 이어 나갔다.

"와. 뭔 미친 뻘짓, 돈 낭비하지 말라고 말하고 싶은데 20대에 어르신급 무력이라니 뭐라 할 말이 없네. 그거 정말 부작용 맞아? 아무리 봐도 권능이야 권능. 네 조상 중에 신족 같은 게 끼어 있는 거 아니냐?"

그러나 내 선조는 98지구 출신이다. 무슨 말이냐 하면, 1지구~100지구까지 모두 그러하듯 똑같은 지형에 비슷한 역사를 지니고 행성에 터를 잡고 있었다는 뜻.

대부분의 지구가 그러했듯 로켓을 우주로 쏘아내는 수준의 과학과 행성 전체에 10명 정도의 완성자, 그러니까 최소 소드마스터나 5클래스 마법사를 보유하는 수준의 영능학을 가지고 있던 곳.

당연한 말이지만 그곳에 신 따위는 없었다. 애초에 후손에게 권능을 물려줄 만한 신혈은 대우주에도 흔치 않다.

“글쎄요. 나야 알 수 없는 일이지.”

“허. 그나저나 기가 막힌다. 나도 커뮤니티에서 사기캐로 유명한 편이지만……. 허, 20대라고? 20대에 소드마스터인 것만 해도 기가 막히는데. 허허.”

성재는 기가 막힌다는 듯 헛웃음 지으며 자신을 오매불망 기다리고 있는 아가씨들에게로 돌아갔다.

“흠. 역시 저런 반응인가.”

하기야 34지구가 아무리 발전한 행성이라 해도 20대 중반의 나이로 8클래스 마법사를 해치우는 건 정상이 아니다.

‘조만간 시청에 가서 레벨 등록을 해야겠다.’

영능 종류와 특성은 개인 정보의 영역이지만 그 수준까지 숨기면 사건에 얽혔을 때 불이익을 당할 수 있다. 괜히 나중에 후회하지 말고 시간 될 때 가서 해결해 놓는 게 속 편했다.

“재연 씨.”

똑똑. 하고 테이블을 노크하는 소리에 자동 사냥을 하는 킬리언스에게서 시선을 돌린다.

거기에는 비키니를 입은 혜영이 서 있었다.

자연스럽게 시선이 돌아간다.

'아. 수련을 그렇게 해도 본성에 휘둘리는구나.'

영화를 찍을 때도 많이 느꼈지만, 상상 이상의 볼륨을 가진 그녀다. 물론 헤이즈와 비교하면 좀 소박할 수는 있지만 그건 수박 인간 헤이즈가 지나친 거지 그녀가 부족한 게 아니다.

"네, 혜영 씨. 잘 쉬고 계시는가요?"

"이렇게 단체로 놀러 온 건 처음이라 좀 어색하네요. 재연 씨는 안 노세요?"

"나아는!! 물의 신이다!!"

쿠오오오!!!

누군가의 능력으로 바닷물이 벌떡 일어나는 게 보인다. 사람들이 꺅꺅거리며 그 주변을 뛰어다닌다.

"저는 멍이나 때리는 게 좋더라고요."

아르데니아에서 워낙 정신없이 살았더니 그냥 바다 구경하는 것도 꽤 힐링이 되는 상황. 그런데 문득 혜영이 테이블 위에 뭔가를 내려놓는다.

탁.

뭔가 하고 보니 은색의 반지. 반지를 내려놓은 혜영이 꾸벅 고개를 숙인다.

"……감사합니다. 덕분에 촬영을 잘 마칠 수 있었어요. 만일 이번 촬영이 엉망이 되었다면 다시는 배우의 꿈을 꾸지 못했을 거예요."

"다 돈 받고 한 건데요, 뭐."

"고작 돈 때문에 움직일 만한 분이 아니란 걸 압니다."

'아니, 돈 때문에 움직인 거라니까?'

내가 황당해하거나 말거나 혜영은 밝게 웃으며 고개를 숙였다.

"재연 씨를 만난 건 제게 큰 행운이었어요. 그러니 이 행운을 받아 주셨으면 합니다. 오른손 중지에 끼워 주시면 돼요."

"행운이라니……."

"그럼."

그녀는 굳이 더 설명을 늘어놓는 대신 사람들 사이로 돌아갔다.

나는 반지를 들었다. 예지는 작동하지 않는다.

그대로 오른손 중지에 반지를 꼈다.

[알 수 없는 이유로 행운이 증가합니다!]

[17 → 230]

"……뭐?"

깜짝 놀라 자리에서 일어난다.

"행운이 올라?"

리벤지에서 행운은 성장이 불가능에 가까운 스텟이다. 스텟 포인트를 투자할 수도 없고 컬렉션도 몇 개 없다.

몇몇 펫들의 버프나 아주 비싼 음식 그리고 아주 특수한 장비로만 올릴 수 있는 스텟이 바로 행운.

게임에서조차 그러는데 현실에서는 어떻겠는가?

'보통 물건이 아니다.'

엔간한 고위 마법사도 확률이니 건드리지 행운 그 자체를 건드리지 못하는데 반지 하나 꼈다고 행운이 이렇게나 오른다는 건 말이 안 된다. 게다가 내게 가해지는 부담이 조금도 없다니.

'인간이 만든 물건이 아니야.'

그렇다면 짐작이 가는 상대는 하나뿐이다.

'게임마스터. 관대하.'

최상급 신. 거기에 생산계 초월자.

직접 만든 기가스의 수가 수백억 대가 넘고 신기라 불리는 초월 무구를 몇 개나 만든 그라면 이런 물건이라도 만들 수 있다.

"이거……. 받아도 되는 건가?"

나중에 누가 찾아오는 건 아닐까 하는 불안감이 몰려올 정도의 보물. 그러나 차마 자리에서 일어나 돌려주겠다고 소리치지 못한다.

어떻게 돌려주겠는가?

가능한 모든 요소에 확률을 쑤셔 넣고야 마는 도박 게임을 하는 나에게…….

다른 것도 아니고 행운 장비가 손에 들어왔는데!

"후우……."

호흡을 고르며 태연하게 선베드에 눕는다. 어차피 돈이 떨어져서 당장 그 효과를 확인하기는 어려우니 조바심내지 않기로 한다.

나는 고개를 돌려 한쪽에 위치한 디스플레이에 떠 있는 뉴스를 보았다.

[거듭된 몬스터 사태로 인한 피해가 잇따르고 있습니다. 세레스티아 여황께서는 몬스터들의 등장을 유도할 수 있는 시설의 건설과 하위 문명에 대한 지원을……]

"아, 저 문제 계속되고 있었구나."

별다른 피해가 없는 지구와 달리 다른 행성들에서는 꽤 피해가 큰 모양. 하기야 허공에서 오우거 같은 괴물이 튀어나오는데 피해가 전혀 없는 34지구가 오히려 비정상이리라.

"큰일이네."

그렇게 말은 했지만 별로 와 닿지는 않는다. 다른 나라에서 전염병으로 수십만 명이 죽어도 '많이 죽었구나…….' 정도의 느낌이 전부인 게 사람의 감정일 텐데 다른 나라도 아니고 다른 행성, 다른 문명의 사망자 따위에 진심으로 슬퍼하려 들면 이 험난한 세상 어찌 살아가겠는가?

하물며 아르데니아에서는 틈만 나면 전쟁을 겪는 내 입장에서는 더더욱 그러하다.

"오! 난다! 난다 날아!"

"서핑 갈 사람!"

시끄럽게 뛰어다니는 사람들을 보며 슬쩍 눈을 감는다.

평화로운 시간이었다. 휴양지의 분위기는 좋았다.

섬 하나를 통째로 빌린 것이었기에 귀찮게 하는 사람도 없었고 음식은 맛있었으며 잠자리도 편안했다. 근사한 바와 맥주집도 있어 원한다면 얼마든지 마시는 게 가능한 환경이기도 했다.

어디 그뿐인가?

휴양지답게 섬에는 온갖 시설들이 있어 잠수함을 타고 바다를 돌아다닐 수도 있고 레저용 기급 기가스를 타 볼 수 있었다. 신청하면 바다 깊은 곳에 자리한 [유리호텔]에 머물 수도 있고 유명한 DJ의 비트매칭 위에서 몸을 흔들어 댈 수도 있다. 비교적 건전한 방식의 도박장도 있었으며, 밤에는 폭죽도 터트려 주었다.

그야말로 바다 위의 낙원.

그 낙원에서 수백의 스태프와 배우 등등이 즐겁게 놀았다. 누군가는 눈이 맞아 연인이 되고 이미 연인이었던 이들은 뜨거운 시간을 보냈다. 오랫동안 잊지 못할 추억을 만들고 긴밀한 관계를 맺기도 했다.

"하. 정신없구먼."

그러나 나는 그러지 않았다. 그럴 여유가 없다.

돈을 벌어야 한다.

[그럼 다음 주에 뵙겠습니다.]

"네, 수고하십시오."

체다의 코를 눌러 통화를 종료한다. 통화한 대상은 웹소설 플랫폼, 파이브 드래곤에서 운영하는 CP(Contents provider)사. 초록용용이의 관계자였다.

지금까지 나는 일종의 자유 연재로 수익을 내 왔지만 슬슬 한계에 도달해 있었다.

파이브 드래곤에 연재되는 작품의 수는 그야말로 상상을 초월하는 규모였기에 화제성이 떨어지고 독자 수는 그보다 더더욱 떨어지는 내 작품들이 완전히 묻혀 버린 상황. 이제 예전처럼 작품을 찍어 내지도 못하는 상황이니 새로운 활로가 필요했다.

"이건 됐고…… 어디 보자."

나는 주식 앱을 켰다.

네메시스 - 2,109,500원(-57,000원)↓

"다시 떨어지는군……."

혹시 주식이 왕창 올랐으면 팔았다 나중에 사는 방식을

취하려고 했는데 막혔다.

“아니, 근데 왜 떨어지지? 더 나빠질 상황은 없을 텐데.”

이해가 안 돼서 인터넷을 검색해 보았다.

찾아 보니 난리도 아니었다.

[개 쓰레기 게임. 내가 왜 내 돈 쓰고 게임하면서 스트레스 받아야 하냐?]

[과금 완전 미쳐 돌아가네…… 말은 많이 들었지만 진짜 상상 초월이다.]

[완벽한 가상 현실이라고 해서 들어왔고 그건 진짜 인정입니다. 1급 심도 진짜 감동의 도가니 ㅠㅠㅠㅠㅠ 아니 근데 왜 뭐만 하려고 하면 와서 죽이죠? 이 18색기들이 진짜.]

[아 그냥 몬스터만 잡겠다고…… 왜 자꾸 지랄들이야……]

새로 리벤지를 시작한 플레이어들의 아우성이 가득하다. 불만이 있는 건 그들뿐이 아니었다.

[아니 대체 성주 지시 사항을 왜 어기는 거야? 규칙 룰 뭐 이런 개념을 모르나?]

[우리 길드가 통제하는 사냥터에 왜 오냐고……]

[이벤트 몬스터 잡지 말라는데 굳이 잡다가 죽은 다음에 팬사이트에 욕으로 도배 ㅋㅋㅋㅋ 지랄 났네 진짜 ㅋㅋㅋ]

나는 게시판을 둘러보다 자리에서 일어났다.

"저기 한재연 씨!"

느닷없이 나를 부르는 소리에 고개를 돌리니 비키니를 입은 여성이 보인다.

"무슨 일이시죠?"

"저기 바쁘지 않으시면 저랑 술 한잔하실래요?"

나는 그녀를 잠시 바라보았다. 누군지는 알 수 없지만, 어딘가 익숙한 얼굴. 아마 몬스터를 소환해 주던 마법사 중 하나인 듯하다.

슬랜더한 몸매에 새하얀 피부의 미인이었지만 나는 어색하게 웃을 수밖에 없었다.

"죄송해요. 지금 약속이 있어서."

"앗, 아앗…… 네. 그러면 어쩔 수 없죠!"

새빨간 얼굴의 그녀에게 꾸벅 고개를 숙여 주고 호텔로 돌아온다. 그리고 3층에 있는 접속방으로 이동한다.

그래, 나는 약속이 있다.

지금 리벤지에 접속하기로 네메시스랑 약속했다.

[리벤지에 접속 중입니다…….]

[접속이 완료되었습니다.]

호텔에 있는 접속기는 원룸에 있는 접속기와는 비교도 안 되는 고급품이었기에 너무나 편안하게 접속을 시작할 수 있었다.
게다가 그 과정도 예전과는 다르다.

[아직 아바타 캐릭터가 설정되어 있지 않습니다.]
[아바타 설정룸으로 이동합니다.]

세컨드 라이프 프로젝트가 시작되어 리벤지에 가상 현실 기술이 적용되자 네메시스는 플레이어가 직접 깃들어 가상 현실을 체험하는 아바타(avatar) 캐릭터와 지금까지처럼 자동으로 사냥하고 플레이하는 서번트(servant) 캐릭터로 분리시켰다.
플레이어는 아바타로 접속해 서번트를 데리고 다닐 수도 있고 혹은 그것을 사냥터로 보내 자동 사냥을 돌리고 자신은 가상 세계를 모험할 수도 있다.
'하기야. 현실과 다름없는 가상세계라면 지금까지처럼 자동 전투를 유지할 수 없을 테고…… 그렇게 되면 명중이나 치명타 등이 말이 안 되게 된다.'
내가 아르데니아에서 하듯 무한 치명타 무한 명중 같은 꼴을 보고 싶지 않으면 당연히 새로운 룰 위에서 움직여야 했을 것이다.
"아바타 설정 완료."

[아바타 설정을 변경하지 않으시면 현실의 모습과 동일

하게 설정되며 후에 이를 변경하기 위해서는 외형 변경권이 필요합니다. 계속 진행하시겠습니까?]

"그래."

적당히 넘기고 리벤지에 들어선다.

"꺄아아아아!"

느닷없는 비명에 고개를 들어 보니 거대한 용이 하늘을 날아가는 모습이 보인다. 드래곤이 아니라 뱀과 닮은 형태의 동양룡.

그 등에 수십 명의 사람이 타고 있다.

부우우웅!

레이싱카가 도로를 질주한다. 다행히 5미터 정도의 높이에 있는 레이싱 전용 도로에서 벌어지는 일이었기에 통행에 방해가 되거나 하지는 않는다.

"와, 이렇게 보니까 느낌이 또 다르네."

내가 접속한 장소는 신화급 성. 일성랜드. 사실 이미 몇 번이고 이 광경을 디스플레이로 봤었지만 접속기로 접속해 느끼는 감정은 또 다르다.

시각, 촉각, 청각과 후각. 거기에 미각까지 재현된 또 다른 세상.

가상 세계야 많이 경험했지만 그게 현실과 구분하기 어려운 수준에 도달하니 체감되는 느낌이 전혀 다르다.

[아바타 캐릭터로 처음 접속하셨습니다! 싸구려 폴더폰(일반)이 주어집니다!]

도로 한편에 멍하니 서 있던 내 손에 뭔가가 잡힌다.

들어 보니 낯선 디자인 무언가다.

"이게…… 뭐야? 이게 폰인가?"

잠시 어리둥절하며 그 이상한 물건을 만지작거린다.

분명 설명은 폰이라는데 화면이 없다.

"어, 디스플레이! 화면을 열어 줘! 이게 아닌가? 싸구려 폴더폰! 화면!"

말을 걸어 보지만, 반응이 없다. 지나가던 여인 중 하나가 그 모습을 보고 깔깔 웃는다.

"하하! 그거 옛날 폰이에요! 반으로 접혀 있는 거니까 펴셔야 해요."

그녀의 말에 자세히 보니 이 플라스틱 물건의 중앙에 틈이 있다. 살짝 당겨 보니 활짝 펴진다.

"아! 감사합니다."

"뭘요! 즐겜하세요!"

그렇게 말하며 도도도 달려간다. 그리고 근사하게 생긴 남성이 그녀의 뒤를 따라 달린다.

머리 위에 [우주제일꽃미남(서번트)]라는 글자가 쓰여 있다.

"아, 저런 식이구나."

나는 펼쳐진 폴더폰을 보았다. 경악스럽게도 숫자와 글자로만 구성된 화면이 보인다.

[서번트 콜을 선택하셨습니다!]
[전투가 종료된 후 소환됩니다! 전투가 종료되었습니다!]
[소환 중…….]

팟!
약간의 빛과 함께 내 앞에 한 사내가 내려선다.

[킬리언스]

"오, 뭔가 느낌이 새롭네."
굳건한 외모의 사내가 나를 마주 보고 있다. 등에는 기다란 장검을 메고 무난한 장비를 걸친 사내.
지나가던 플레이어들이 의문을 표한다.
"어? 저 서번트는 뭔데 아이디가 오색으로 빛나지?"
"그러게. 저런 건 또 처음보네."
"아이디 색이 막 변한다 신기하네."
"어! 아! 저거 저거 그거 아냐!? 신화 클래스야!"
누가 소리치자 사람들의 시선이 모인다. 나는 깜짝 놀라 다음 버튼을 눌렀다.

[킬리언스가 캐릭터 선택창으로 수납되었습니다.]

"없어졌다!"
"로그아웃한 건가?"
두리번거리는 사람들의 말을 듣자하니 서번트 캐릭터의 주인이 누구인지까지는 표시되지 않는 모양이다.
"와. 신화 캐릭이면 엄청 세겠지?"
"칼 한 번 휘두르면 우리 같은 애들은 수백 명씩 죽어나간다던데."
"아니, 아무리 그래도 같은 플레이어인데 그렇게까지 차이가 난다고?"
나는 자리를 벗어났다.
'어우. 뭐지 어색하다.'
모바일로 게임을 돌릴 때는 사람들이 뭐라 하건 전혀 신경 쓰이지 않았는데 이렇게 사람들이 말하는 게 들리니 뭐라 말하기 어려운 기분이 든다.
"그런데 분위기 나쁘지 않은데? 괜찮은 거 같은데 주식이 왜 떨어지는 거지?"
난리 난 홈페이지와 다르게 성의 분위기는 아주 좋았다. 사람들이 신나서 놀고 있고 사람들 사이의 다툼도 거의 보이지 않는 것.
나는 걸음을 옮겨 성을 가로지르다 이내 인벤토리에 손을 넣었다. 엄청난 넓이였기에 걷기가 귀찮아졌다.

팟!

랜덤 텔레포트 스크롤을 찢자 가까운 사냥터로 날아간다.

"거기 잠깐만요!"

도착한 장소에서 누군가 말을 건다.

"저요?"

"네. 여기 지금 저희 달러코인 길드가 레이드 중이니까 접근하지 마세요."

"아하. 네."

흔히 보던 일이었기에 순순히 고개를 끄덕인다. 아무래도 길드 하나가 필드 보스 하나를 타겟팅 해 레이드를 진행하는 모양이었다.

콰쾅!

펑!

두두두!

멀리 떨어져서 보니 오십 명 정도의 플레이어들이 몬스터를 사냥하고 있는 모습이 보인다.

그런데 그 몬스터의 모습이 매우 눈에 익다.

"하아아압!"

촤아악!

맨땅 위로 파도가 친다.

[뜨거운 여름의 얼음 여왕(영웅)]

"아니, 이미 얼음이 아니잖아……."

그것은 여름방학 이벤트였다. 과연 리벤지에 여름방학을 맞이할 만한 사람이 얼마나 있겠냐마는 어쨌든 명분은 그랬다.

어이없게도 비키니를 입은 얼음 여왕이 얼음이 아니라 물줄기를 뿌려 대며 플레이어들과 싸우고 있다.

"뭔가 기묘하구만…… 녀석과 사투를 벌인 지 얼마 안 된 거 같은데."

이곳의 얼음 여왕은 아르데니아에서와는 다르게 철저하게 몬스터일 뿐이라는 사실을 재확인하는 장면.

그런데 그때였다.

"이얍!"

갑자기 등장한 궁수 유저가 얼음 여왕을 향해 마구 화살을 쏴 댄다. 아이디를 보니 서번트가 아니라 아바타 캐릭터다.

"저기요! 저기요! 잠깐만요!"

"얍얍! 네? 왜요?"

"여기 지금 저희 달러코인 길드가 레이드 중이니까 치지 마세요."

"네? 에이 좀만 칠게요. 레이드 참가하는 퀘스트가 있어서 그래요."

"그건 퀘스트 던전에서도 가능하니까 거기서 하고 가세요."

강압적인 말에 난입한 플레이어의 얼굴에 짜증이 깃든다.

"제가 치면 치는 거지 왜 강요하고 그러세요? 좀만 칠게요."

그의 말에 길드원의 얼굴에도 짜증이 깃든다.

"이해가 안 되세요? 여긴 저희 달러코인 길드가 통제하는 레이드라니까요?"

"통제하긴 뭘 통제해요. 님들이 네메시스한테 저 보스 돈 주고 사기라도 했어요?"

"아니, 그러니까 저희가, 에휴. 됐어요."

"네! 됐죠? 괜히 뭐라고……."

"됐으니 그냥 죽으세요."

콰득!

설득을 포기한 길드원의 검에 플레이어의 피통이 뭉텅이로 빠져나간다.

"악!? 왜 공격해요!"

콰득!

깜짝 놀라 소리를 지르거나 말거나 이어지는 공격에 플레이어는 죽고 말았다. 길드원이 설득을 포기한 것이다.

"아, 이거."

그제야 나는 왜 사이트에서 그 난리인지 알 수 있었다.

"개판이겠구만."

리벤지의 전쟁은 게임에서 싸우라고 판을 깔면 와! 하

고 싸우는 스포츠와는 거리가 멀다. 레이드 몬스터가 강한 것만이 문제가 아니라, 그 몬스터를 탐내는 다른 플레이어가 있다는 게 문제가 되는 게 바로 리벤지라는 게임.

리벤지에 존재하는 대부분의 전투는 게임 안에 플레이어들이 원하는 어떤 가치 있는 뭔가가 있을 때, 그것을 플레이어들끼리 싸워서 쟁취하는 과정에서 터진다.

당연히 그 결과 승자와 패자가 나뉘고 그 과정에서 게임사와는 전혀 상관없이 플레이어들 간의 규칙이 정해진다.

기존의 플레이어들은 상관없다. 이런 게임인 줄 알고 하는 것이고 그게 맘에 드니까 남은 사람들이 아니던가?

그러나 신규 플레이어들은 아니다.

"아니! 왜 죽여요! 진짜 어이없네!"

"아니 캐릭터 좀 세면 답니까?"

"이벤트 몹 치지 마세요."

"아니 네가 뭔데??"

둘러보니 여기저기에서 갈등이 벌어지고 있다.

'말하자면…… 문명의 충돌 같은 거다.'

이제 보니 신규 플레이어와 기존 플레이어 간의 갈등이 불가피한 상황.

문제는 그 결과가 뻔하다는 것이다.

리벤지의 갈등 해소 방법은 전투와 전쟁인데 신규 유저가 기존 유저를 무슨 수로 이긴다는 말인가? 신규 유저가 일방적으로 꼬운 상황이 되는 것이다.

'결국 답은 두 개뿐이다.'

게임을 접든지.

아득바득 과금해서 원수 놈들을 이겨 내든지.

네메시스야 당연히 후자를 바라겠지만, 과연 대부분 플레이어가 굳이 스트레스 받으며 게임을 하려 들까? 이제 막 시작한 게임에서?

'이래서 주식이 떨어지는 건가.'

과연 떨어질 만하다는 생각이 들었다. 이렇게 호된 맛을 본 플레이어들이 게임을 접은 후 리벤지에 대해 좋은 말을 하고 다닐 리가 없기 때문이다.

그리고 여론이 최악으로 치달으면 당연히 오려던 사람들도 안 올 곳이다. 하물며 완벽한 가상 현실의 경우 조금만 기다리면 다른 대체재가 생기는 상황이 아니던가?

"……."

그러나 문득 그런 생각이 들었다.

'과연 네메시스 소프트가 그걸 모를까?'

푸슉!

접속을 종료하고 접속기에서 나온다. 어차피 나는 놀려고 리벤지를 하는 게 아니니 굳이 가상 현실을 할 필요가 없다.

냐옹!

기다렸다는 듯 체다가 울었다. 눈을 맞추자 체다가 입

을 열었다.

"앨런 감독님의 메시지가 도착했습니다. 수고했다. 나머지도 입금했어."

바로 계좌를 열었다.

자유저축 예탁금(G-뱅크 1173-5511)

250,043,908원.

4만 3천 원으로 바닥이나 다름없던 잔고가 2억 5천 4만 3천 원으로 차올랐다.

"……."

나는 원래 이 돈을 바로 다이아로 바꿔 신화 성의 방어 체계에 투자할 생각이었다. 세부적으로 써야 할 목록도 이미 다 정해 둔 상태.

그런데 다른 생각이 들었다.

'네메시스 소프트가 이 악재를 예상하지 못했을까? 정말로?'

리벤지는 과거의 막장 게임 회사들처럼 한탕 돈이나 쪽 빨아먹고 빠지려는 그런 회사가 아니다. 정의신과 진실신이 눈을 흉흉하게 뜨고 있는 34지구에서 게임 하나로 당당히 매출 1위를 찍는 게임사.

물론 거짓말을 하지 않는다고 그 거지 같은 과금 모델이 마음에 들게 되는 건 아니지만…… 적어도 그들이 바보가 아니라는 것만은 틀림없다.

"……좋아."

체다의 배를 두들겨 주식 앱을 연다. 그리고.

모든 잔고를 털어 네메시스 주식을 전량 매수(買收)한다.

띠링!

잠시 차올랐던 계좌가 쪼그라든다. 그야말로 스쳐 지나갔다 해도 과언이 아니었다.

"잘하는 짓인지……."

약간의 불안이 있었으나 210만 원이면 싸게 산 것이다. 실제로 네메시스 주식이 340만 원일 때 10억 정도 써서 300주를 산 적이 있던 내가 아닌가?

그런데 그렇게 생각하고 나니 또 억울해진다.

"아! 그때 그 10억 가지고 지금 주식을 샀으면 훨씬 더 많이 샀을 텐데! 아, 갑자기 15억이 들어와서 경솔했어!"

300주가 아니라 500주 가까이 살 수 있었을 상황!

"아냐, 진정하자. 1500만 원짜리가 340만 원이 되었는데 사는 게 당연한 거야."

비 맞은 중놈처럼 중얼거린다. 기분이 초단위로 오락가락한다. 더 좋은 선택지. 죽어라 일하지 않아도 떼돈을 벌었을 가능성들이 휙휙 지나친다.

"하."

고개를 흔들어 잡념을 떨쳐 낸다.

"아, 내가 이런 사람이 아니었는데. 있으면 있는 대로 없으면 없는 대로 잘살던 내가 어쩌다 이 꼴이 되었나."

절로 한탄이 나왔지만 어쩔 수 없다. 돈을 벌기 위해 죽어라 일하다 보니, 또 온종일 돈 생각을 하다 보니 자연스럽게 변하고 만 것이니까.

"괜한 가정을 붙이지 말고 한동안은 계속 사자."

가정을 붙이면 끝이 없다. 나중에 돌아보면 간단하지만 내가 미래를 볼 수 있는 게 아닌 이상 그 간단한 걸 어찌 알겠는가?

'아니, 미래를 볼 수 있어도 마찬가지지.'

운명 마탑의 마탑주. 대마법사 럭키 스트라이크가 투자 실패로 쪽박을 찬 것은 전 세계에 모르는 사람이 없을 정도로 유명한 일이다.

무려 예지 능력을 가진 그녀조차 미끄러지는 게 바로 주식판이라는 마경!

세계적인 부호였던 그녀는 주식에 400조를 투자했다가 그중 300조를 날렸다고 전해진다. 대마법사가 아무리 대단해도 국가 예산급 돈을 날리자 복구할 수 없었고, 지금의 그녀는 그 돈을 갚느라고 개인 연구도 못하고 노예처럼 인챈트를 찍어 내고 있다고 한다.

'어쩌면 요번에 들어갔던 몽환계의 게이트도 그녀가 연 것일지도 모르지.'

그렇게 생각하며 다시 다짐한다.

"네메시스 주식만 사면 된다."

네메시스의 주식은 다른 주식과 다르다. 내게 그것은 수익을 위한 수단도 회사의 소유권도 아닌 권능의 파편.

그저 가지고 있는 것만으로 아르데니아의 시스템에 간섭하는 힘이다.

'이것으로 내가 가진 주식은 424주.'

아르데니아에서 머무는 시간 동안 나는 주식으로 할 수 있는 일과 없는 일을 확인했다.

'첫 번째는 복원.'

나는 아르데니아에 구현되어 있지 않거나, 문제가 있는 시스템을 잠시 복구할 수 있다. 예를 들어 아르데니아에는 없는 상점 NPC를 소환한다거나 채팅, 우편 등의 시스템을 이용할 수 있는 게 바로 이 능력에 해당한다.

'두 번째는 패치.'

나는 드랍 테이블에 존재하지 않았던 무기를 끼워 넣거나 변경하거나 없애 버릴 수 있다. 예를 들어 하급 철괴를 떨구는 오크의 드랍 테이블을 패치해 최하급 철괴를 떨구게 하거나 아예 떨구지 않게 할 수 있다.

'세 번째는 이벤트.'

나는 이벤트를 시작할 수 있다. 추석 이벤트, 설날 이벤트, 발렌타이 이벤트, 크리스마스 이벤트 등을 할 수 있다.

"다만 그게 다란 말이지."

주식으로 할 수 있는 일은 실로 대단한 것들이었지만, 그럼에도 이 세 가지에서 벗어나는 일은 할 수가 없었다.

예를 들어 검성 상태에서 파이어 볼을 쓰게 한다든지, 하늘에서 벼락이 떨어지게 한다든지, 허공에서 다이아 한 뭉치가 나타나게 한다든지, 죽은 존재를 살린다든지, 펫들의 A.I를 조정한다든지 하는 일은 주식을 가지고도 불가능하다.

존재하지 않던 NPC도 소환할 수 있는 권능이 고작 파이어 볼 하나를 쏠 수 없다는 것은 이 주식이라는 힘의 방향성을 알려 준다.

'마치…… 운영자의 권한을 이어받은 것 같단 말이지.'

문제는 그뿐이 아니다.

'그나마 있는 것도 다 할 수 없어.'

복원은 확실했다. 이벤트도 마찬가지. 리벤지에는 있는데 아르데니아에 없는 것들을 구현하려 하면 주식의 수가 부족해 실패할 뿐 항상 반응이 있었다.

그러나 패치가 문제다.

'어떤 건 되고 어떤 건 안 되고.'

드랍 테이블에 어떤 아이템은 끼워 넣을 수 있고 어떤 건 그게 안 된다. 어떤 아이템은 없앨 수 있는데 또 어떤 건 안 된다. 어떤 아이템은 드랍률을 2%씩이나 올릴 수 있는데 어떤 아이템은 떨구는 것만 가능하다.

'더 연구해 봐야겠지.'

주식이 가지는 힘에 대해 고민하다 보니 혼란스럽던 마음이 좀 가라앉는다.

하는 깊게 심호흡했다.

"그래. 어차피 살 주식이다. 상황이 꼬여도 주식을 좀 덜 사는 정도지."

주식 애플리케이션을 껐다.

어차피 한동안 아르데니아로 갈 일이 없으니 들여다보지도 말아야겠다.

[저희 뉴 월드 코퍼레이션을 사랑해 주시는 고객님께 언제나 감사의 인사를 드립니다. 캡슐형 접속기 S-33이 로딩 중입니다.]

철컥! 기이잉……

[로딩이 완료되었습니다!]

[게스트 계정입니다.]

[시뮬레이션 소프트웨어, 차크라 개방과 수련을 실행합니다.]

의식이 한순간 확 가라앉는가 싶더니 주변 배경이 간결한 이미지의 건물로 변한다.

어느새 내 앞에는 차분한 흑발의 여인이 서 있었다.

"새로운 학생이군. 만나서 반갑다. 김소향이다."

전쟁 성좌의 주인, 최강의 기간트 마스터(Gigant Master), 사자여왕 김소향이 나를 보며 웃는다.

나야 그녀가 익숙하지만 당연히 그녀는 나를 알아보지 못했다. 내가 그녀에게 훈련받았던 장소는 내 원룸의 접속기였고 나는 거기에서 정보의 업로드를 막았기 때문이다.

나는 그녀를 보며 말했다.

"신체 데이터와 영능 데이터는 비공개로 하겠습니다. 냉기 요소와 동시 개방이 가능한 술식을 학습하고 냉기 요소 자체로 훈련하도록 하죠."

"개인 정보를 중요하게 생각하는 모양이구나? 하지만 훈련 강도를 결정하려면 신체 스캔이 필요한데."

맞는 말이다. 영능 수련 프로그램이라 해도 접속기가 구현해 내는 가상 현실의 심도는 3단계에 불과하니 신체 스캔이 없으면 현실의 능력과 완전히 동떨어지는 훈련을 할 수밖에 없다.

"괜찮습니다. 접문부터 현문까지 부탁합니다."

"아니, 훈련 폭을 그따위로 잡는다고? 진짜 보안에 목숨 거네……."

황당해하지만 이러니저러니 해도 복제 인격에 불과한 소향은 내 요청에 따라 날 교육해 주었다.

수업이 끝나면 실전이다.

쏴아…….

호텔을 나선 난 파도가 치는 해변에 서서 조용히 호흡을 골랐다. 저 멀리서 들려오는 하하호호 소리가 의식에서 지워질 정도로 집중한다.

"아르데니아. 접문(接門). 개방(開放). 소환(召喚). 뼈장검."

팟!

뼈 장검이 나타난다. 나는 그것을 잡아 하늘로 던져 버렸다.

쐐엑!

그리고 그 상태에서 수인을 맺는다.

팟팟팟!

수인을 다 맺을 때쯤 뼈 장검이 눈앞으로 떨어진다. 나는 그 손잡이를 잡아채며 차크라를 열었다.

냉기(冷氣). 현문(賢門). 일격(一擊). 접문(接門). 개방(開放).

빙참격(氷斬擊).

술식이 기동하자 온몸에 냉기가 깃든다. 요소, [아르데니아]와 마찬가지로 오롯이 존재하는 냉기 속성의 힘으로 동시 개방의 부담이 크게 감소하는 게 느껴진다.

술식 빙참격의 효과는 다음 공격 1회에 한에 추가 냉기 데미지를 더해 주는 것.

그리고 거기에.

찰나결(刹那訣) 제1식.
일검세(一劍勢).

쩍!

밀려오던 파도가, 그 너머의 바다가 일격에 잘려 나간다. 수십 미터나 뻗어 나간 검기에 두 쪽으로 갈라진 바다가 밑바닥을 드러낸다.

그리고.

쩌저정!

갈라진 바다가 그 상태 그대로 얼어붙는다.

"……후."

온몸을 휘감는 탈력감을 깊게 심호흡해 떨쳐 낸다.

일격은 새로이 개방한 요소다. 일부러 검(劍)도 검술(劍術)도 아닌 하나의 행위에 불과한 일격을 열어젖힌 것은 그것이 일격에 모든 것을 쏟아붓는 내 전투법에 가장 적합하기 때문이다.

워낙 한정적인 요소여서 깨우치기가 편했다.

'그만큼 한계도 명확하겠지.'

차크라 수련자로서 엄청난 낭비였지만 내겐 상관없는 일이다. 차지한 성들이 요소가 차지하는 리소스를 대신 감당해 주기 때문이다.

까드득! 까득!

천천히 걸어 얼음 벽 사이를 가로지른다.

바닥의 얼음 조각이 발에 밟혀 부서진다.

"흠…… 이 정도인가."

얼음벽을 만져 본다. 두께가 1미터는 되는 얼음벽은 휴양지의 뜨거운 기온에도 물기 하나 묻어나지 않는다. 분위기를 보아하니 이대로 며칠을 둬도 전혀 녹지 않을 것만 같다.

"괜찮군……."

내 일검세는 일격에 전력을 쏟아 내는 절기로 가성비가 좋지 않다. 빙참격은 거기에 더해 준비 시간까지 있는 기술.

'하지만 내게는 이게 좋다.'

빙참격의 수인을 맺는 데 대략 7초 정도의 시간이 걸린다.

아직 술식에 능숙하지 않아 수인을 생략하기는커녕 간소화조차 못하기 때문이다.

7초.

전투 중에 활용할 수 없을 정도로 치명적인 시간이지만 난 상관없다. 로그인/로그아웃 능력으로 다른 세상에서 수행하면 그만이기 때문이다.

'하지만 검식이 아쉽네.'

일검세는 일종의 필살기지만 아무래도 검술의 상식선

에 자리한 기술. 진짜로 일격에 모든 걸 쏟아 내는 기술은 아니다.

나는 바다에 검을 겨눈 채 생각했다.

'더 극단적인 기술이 필요해. 선딜 정도가 아니라 후딜까지 달린, 정말 뒤가 없는 일격필살.'

대신 위력은 그 모든 단점을 뒤덮을 정도여야 한다.

'분명 있겠지.'

내가 만약 다른 문명, 다른 행성 출신이었다면 그런 무공을 찾기 힘들었겠지만 34지구는 거의 모든 정보를 공개하는 문화권.

마이튜브만 뒤져 봐도 그런 기술을 찾을 수 있을 것이다.

"다시."

나는 뼈 장검을 하늘로 던졌다.

그리고 차크라를 열었다.

* * *

쾅!

네메시스 소프트의 대표, 배사랑은 이를 박박 갈았다.

"도대체 뭐야! 주식이 왜 이렇게 떨어지는 거야!?"

처음에는 신규 유저와 기존 유저의 충돌로 인한 불협화음 때문이라고. 그다음에는 후발 주자들의 등장이라는 악재 때문에 벌어진 일이라 생각했다. 실제로 그런 현상이 있기도 했으니까.

그러나 1500만 원을 돌파했던 210만 원까지 주저앉다니? 이건 정상이 아니다.

“누가 우릴 공격하는 거지?”

공격.

그렇게 생각할 수밖에 없었다. 사비는 물론이고 대출까지 써서 떨어지는 주식을 방어하고 있는데도 끊임없이 떨어지고 있었기 때문이다.

‘어떻게 이런 미친 매도량이 나올 수 있지? 그 누구도 성공하지 못하던 신기술에 성공해 특허까지 낸 지금 어떻게!’

그러나 사람을 풀어 필사적으로 조사해 봐도 그 이유를 알 수 없었다. 그저 주식계의 큰손들이 앞다투어 주식을 팔아 버렸고 거기에 개미들까지 휩쓸려 주식을 팔아 버리고 있다는 결과만 알고 있을 뿐이다.

팟!

그때 공간이 갈라지고 한 사내가 그녀 앞에 모습을 드러냈다.

“……기담 아저씨?”

“오랜만에 뵙습니다, 아가씨.”

기별조차 없이 모습을 드러낸 노년의 사내는 정중히 고개를 숙였다. 세계의 경제를 지배하는 일성 기업의 비서

실장이 모습을 드러낸 것이다.

“설마, 설마 아버지 짓이에요?”

“무엇이 말씀이십니까?”

“제 회사 주식이요!”

버럭 소리치는 사랑의 말에 기담은 고개를 흔들었다.

“그럴 리 있겠습니까. 회장님께서는 아가씨의 사업을 돕지도 않지만 방해도 하지 않으십니다.”

차분한 대응에 사랑 역시 깊게 심호흡해 스스로를 진정시켰다.

“그럼, 무슨 일이죠?”

“예지입니다. 꽤 예전부터…… 아가씨의 네메시스 소프트가 모든 예지에서 지워졌다고 합니다.”

기담의 말에 사랑의 얼굴이 딱딱하게 굳었다. 왜냐하면 그 말이 뜻하는 바를 알고 있었기 때문이다.

모든 예지에서 지워진다.

만일 어떤 사람에게서 그런 일이 벌어졌다면 예지 능력자, 혹은 예지 능력이 아닌 다른 힘으로 그 비슷한 걸 할 수 있는 초월자들은 이렇게 생각할 것이다.

-아, 이놈이 초월지경에 올랐구나.

누군가 신의 경지에 올라 운명의 틀을 벗어던지게 되면 그는 더는 예지할 수 없는 존재가 된다. 물론 그보다 더 상위의 존재가 있다면 어쩌면 가능할지도 모르지만, 조금만 틀어져도 틀리는 예지는 예지가 아니라 그냥 예상일 뿐.

그러나 어떤 국가. 혹은 지금처럼 회사 같은 단체 등에서 그런 일이 벌어진다면 이야기가 달라진다.

그들은 이렇게 생각할 것이다.

ㅡ아, 이거 멸망 각이다.

당연한 말이다. 국가, 혹은 단체라는 무형의 개념이 통째로 운명의 틀을 벗어나 초월할 리가 없지 않은가?

물론 평범한 상장 폐지 정도라면 예지에서 지워지는 게 아니라 상장 폐지가 되는 미래가 보이겠지만, 적어도 뭔가 심상치 않은 일이 벌어질 것이라는 사실 정도는 짐작할 수 있으리라.

"……예지 따위 믿지 않아요. 대마법사 럭키 스트라이크 이야기도 모르시나요?"

유명한 이야기다. 투자 실패로 패망한 운명 마탑의 마탑주.

예지는 강력한 힘이지만 절대적이지 않다. 운명의 틀을 벗어난 초월자가 끼어들면 얼마든지 흐트러지기 때문.

그러나 기담은 고개를 흔들었다.

"열 이상의 초월자가 모두 같은 결과를 냈습니다. 그중에는 10클래스의 노블레스까지 끼어 있지요."

"하, 10클래스의 노블레스라면 대장로급 노룡(老龍)이잖아요. 이런 작은 회사에 관심을 두시다니. 아주 영광이네요."

사랑이 으르렁거렸지만 기담은 흔들림 없이 말을 이어나갔다.

"물론 초월자들 사이에서나 떠도는 정보라서 많이 풀리지는 않았지만…… 그들과 가까운 VVIP들 사이에서 알음알음 퍼져 나가고 있습니다."

"……."

"만약을 준비하십시오. 아가씨."

팟!

마치 처음부터 그 자리에 없었다는 듯 기담이 사라진다.

쩍. 쩌적. 쩌저적……

사랑의 주먹을 버티고 있던 책상이 갈라진다. 온갖 보호 마법으로 떡칠되어 있는 고급품도 그녀의 분노를 버티지는 못한다.

"이게……. 이게, 뭐야. 거의 다 왔는데. 어째서."

언제나 자신만만하던 얼굴이 엉망으로 일그러진다. 눈물이 뚝뚝 떨어졌다.

"대체 뭐냐고!"

그러나 그녀의 의문과는 상관없이.

시간이 흘러간다.

옛날에 노벨상이라는 게 있었다고 한다.

다이너마이트라는 걸 만들어 천문학적인 돈을 벌었던 알프레드 노벨이라는 사람이 만들었다는 상. 어떤 분야에서 놀라운 발견을 하거나 중요한 공헌을 하게 되면 그 노벨상이라는 것이 주어져 막대한 부와 명예를 얻었다던가.

특허(特許)라는 개념이 있다.

어떤 사람의 창안으로 이루어진 공업적 발명의 전용권을 본인 또는 그 승계자에게만 부여하는 행정 행위를 뜻한다.

'이제는 둘 다 보기 힘든 것들이지.'

3문명에 들어서 34지구는 외계 문명과 소통하고 광활한 우주를 가로지르는 대우주 시대에 접어들었다.

문제는 34지구가 후발주자에 불과하다는 데에 있다.

'솔직히…… 게임 마스터가 없었으면 흔하디흔한 우주 변방이지.'

위대한 발명을 하였나? 외계인들이 이미 옛날에 발명한 것들이다.

과학계에 지각변동을 일으킬 발견을 하였나? 역시나 외계인들은 이미 알고 있던 것들이다.

새로운 기술. 새로운 발견.

이미 다 대우주 어딘가에 있던 것일 가능성이 크다.

'과학자들이 로망이 없는 시대란 우스갯소리를 괜히 하

는 게 아니야.'

현대의 과학자들은 학습하고 적용하는 이들이지 발견하고 발명하는 존재가 아니다.

혹 어떤 새로운 걸 발견하거나 발명해도 대우주 네트워크를 뒤지다 보면 이미 수백 년 수천 년 전에 비슷한 게 발견된 적 있다는 사실을 깨닫게 된다.

그리고 그런 상황에서.

네메시스는 새로운 발명을 하였다.

'엄청난, 실로 어마어마한 호재였지.'

그냥 그렇게 주장한 정도가 아니다.

네메시스는 초월적인 권능이나 장치의 보조 없이 영능력자들에게 완벽한 가상 현실을 제공하는 기술, [세컨드 라이프]의 특허를 우주 제일의 학술기관 우로보로스에서 인증받았다.

150만원이었던 네메시스의 주식이 1500만원이 된 것은 어찌 생각해 보면 당연한 일!

그런데.

"아니, 이게 대체 뭐야?"

네메시스 - 1,809,500원(-40,000원)↓

주식이 또 떨어졌다. 10배나 올랐던 주식이 어느새 거의 본래 자리를 되찾아 버렸다.

이해할 수가 없는 일이다.

"이게 말이 되나?"

리벤지의 대외적인 이미지가 안 좋은 것은 사실이다. 그냥 안 좋은 정도가 아니라 미친 과금 게임이라고 악명이 자자한 수준.

그러나 그와 별개로 리벤지는 훌륭한 캐쉬카우(Cash Cow). 그러니까 돈을 벌어 주는 회사였다. 들어가는 돈에 비해 훨씬 많은 돈을 벌었고 지금 이 순간에도 벌고 있는 게임이 주력인데 회사 주식이 왜 떨어진단 말인가?

아니나 다를까 주식판에서도 난리였다.

↳쌍호구: 아니 이게 왜 이렇게 떨어져? 우로보로스한테 특허도 받았는데 왜?

↳오늘도 단단: 워, 가치투자 하고 싶긴 한데 너무 일정하게 매일 떨어지니 들어가질 못하겠다.

↳천만기가스: 무슨 악재라도 있나요? 리벤지는 순조롭게 잘나가는데 그래프의 상태가…….

↳선풍권: 아니 설마 특허 그거 거짓말이었나? 진짜 말이 안 되는데 이거.

↳주린이: 이건 VIP 사이에서 떠도는 소문인데…… 네메시스가 상장폐지 당할 수도 있데요.

↳쌍호구: 아 저런 개소리 하는 놈들 진실신 사제가 싹 다 잡아들여야 하는데. 아니 리벤지가 멀쩡한데 뭔 상장폐

지야?

↳주린이: 사업 외적인 문제가 있는 게 아닐까요? 신적 존재한테 밉보였다든지……

"자자! 옆에 배우분도 카메라를 봐 주세요!"

나를 부르는 소리에 체다를 톡톡 쳐 뒤로 보내고 정면을 바라보았다.

"이야! 성재 씨, 잘생겼다! 이번엔 오른쪽 보고!"

"고개 틀어서 다시! 와, 진짜 미남이세요!"

"자자, 혜영 씨 카메라 보고 살짝 웃어 주세요!"

나는 기자간담회에 와 있었다. 영화 [교수 지망생]이 언론에 첫 선을 보이는 자리.

아직 영화가 상영되기 전이라 기자들은 배우들의 사진과 영상을 촬영하거나 짧게 인터뷰를 따 가곤 했다.

"앨런 감독님! 영화 촬영 중에 드림 워커 학파장의 테러가 있다고 들었는데 촬영에 문제는 없었습니까?"

"문제가 있는 정도가 아니라 영화가 그대로 엎어질 뻔한 위기였지요. 다행히 우리는……."

나는 내 자리에 앉아 멍하니 있었다. 종종 배우 전체를 호명하는 경우가 있어 인터넷 서핑을 하기도 힘든 상황이지만 그렇다고 딱히 나를 찍어 질문을 하는 기자가 있는 것도 아니다.

'아니, 사실은 그 이상인가.'

나는 자리에 앉아 기자들이 수군거리는 소리를 들었다.

"재는 뭐야? 혹시 누군지 알아?"

"어디 보자 이름이…… 한재연이네. 아예 경력이 없어."

"저런 듣보잡이 왜 이렇게 가운데에 앉아 있어?"

"생긴 건 그냥 경호원인데. 뭐지 대체?"

나는 낙동강 오리알처럼 자리만 지키고 있었다

혜영을 비롯한 배우들이 종종 말을 걸기도 했지만 그들은 기자들로부터 쏟아지는 질문을 받느라 정신이 없는 상황이었다.

'뭔가 기묘한 기분이네.'

아르데니아에서 나는 모든 이들의 시선을 받는 사람이다. 혹여 카심을 타고 하늘을 날기라도 하면 도시를 오가던 수많은 사람이 날 올려다보느라 도시가 정지한다고 느껴질 지경.

그러나 지구에서는 다르다.

이곳에서 나는 아무것도 아닌, 빛나는 별들 사이에서 잘 보이지도 않는 존재다.

'예전에는 이런 사실이 견디기 힘들었는데.'

그러나 지금은 아무렇지 않다. 기자들의 관심이 있든 없든 나라는 존재의 가치는 달라지지 않기 때문이다.

오히려 신경 쓰이는 건.

'아, 주식 어쩌지.'

예전 네메시스 주식이 1,500만 원까지 올라갔을 때 나는 비명을 질렀다. 주식이 너무 비싸지면 주식을 사서 아르데니아의 시스템에 간섭하는 게 불가능에 가까운 일이 되기 때문이다.

주식 1주에 1,500만 원이면 채팅 하나 더 연결하는 데에 9,000만 원인 셈이니까.

'아무래도 오버지.'

시스템에 간섭하는 능력이 중요해도 효율이 그따위면 차라리 과금이나 하는 게 이득이다.

그렇게 딴생각을 하는 사이 인터뷰가 어느 정도 끝나고 상영시간이 되었다.

"그럼 상영을 시작하겠습니다. 부디 좋은 시간 되시길."

앨런의 인사와 함께 극장이 어두워진다.

나 역시 관객석에 앉아 영화를 보았다.

스토리는 익히 알고 있는 대로다. 우주 학술기관 우로보로스의 교수가 되는 게 꿈인 천재 마법사가 이가(李家)에서 붙여 준 궁녀와 함께 우주를 가로지르다 우주의 위기를 불러올 음모와 혼란에 휘말리는 이야기.

정말 흔하디흔한 블록버스터 줄거리지만.

'이건…… 인정할 수밖에 없군.'

함선을 약탈하기 위해 나타났다 정체를 알 수 없는 우주 괴수들의 습격에 휘말리는 도검의 모습을 보며 생각한다.

'잘 만들었다.'

흐름이 매끄럽고 대사에는 위트가 있다. 대단한 깊이가 있는 영화는 아니었지만, 대신 보는 사람의 멱살을 끌고 가는 흡입력과 속도감이 있었다.

그러나 내가 진짜 놀란 건.

'아니, 이런 미친?'

스스로가 황제라는 광기 어린 믿음에 빠져 동료를 배신하는 [역할]을 맡은 브람 위저드가 나타났을 때였다.

'이놈을 그냥 배역으로 넣어 버렸다고? 실제로 죽은 사람을?'

어이가 없다. 앨런 이 미치광이가 내 손에 죽은 8클래스 초고위 마법사, 드림워커의 학파장 브람을 [등장인물]로 꺼내 든 것이다!

'와. 이거 괜찮은 건가?'

순간 그런 생각이 들었다. 당연한 일이다. 꽤 많은 사람이 브람의 등장을 불편해할 것이기 때문이다.

하물며 테러범이 되기 전의 브람은 학파장이라는 나름대로 높은 위상의 존재가 아니던가?

그러나 곰곰이 생각해 보니 다른 판단이 선다.

'괜찮을지도…… 모르겠군.'

"잠깐. 저 사람 브람 아닌가? 요번에 촬영장에서 테러를 저질렀다가 죽었다는."

"그럼 설마 실제 상황을 촬영해서 영화 내용에 편입했

다는 건가?"

"세상에. 그런 일이 가능해?"

"화제성 하나는 죽이겠는데……."

기자들은 놀라고 기겁했지만 분노하거나 경멸을 표하지는 않았다. 오히려 신기해하거나 경탄을 보이기도 했다.

"아니. 아무리 그래도 좀 지나친 것 아닌가. 극악한 테러범이라도 사람이 죽었는데."

그렇게 말하는 기자가 없는 것은 아니지만 극히 소수에 불과하다.

'그래. 내가 중세 랜드에 너무 오래 있었네.'

과연 내 마음과 똑같은 생각을 한 기자가 말한다.

"하긴 뭐, 정의신도 인정한 일인데."

"정확히 말하자면 [보편의 정의]를 통과한 일이지."

악업이 쌓이고, 또 새겨지는 기준이란 무엇인가?

그저 막연히 정의신의 뜻이라 생각하는 이들도 있었지만 그건 수업시간에 존 녀석들이고 조금이라도 관심 있는 이들은 모두 안다.

사실 선악을, 정의를 구분한 것은 우리 모두라는 것을.

'원초적 입장.'

34지구에 거주하는 모든 인류는 잠이 듦과 동시에 정의신의 성소에 입장한다. 정의신은 그들 모두에게 무지의 장막을 씌운 뒤 [판결]을 시작한다.

그 판결은 정의신이 행하는 것이 아니다.

120억의 인류 그 스스로가 자신이 원주민인지 이민자인지, 남자인지 여자인지, 노인인지 아이인지 모르는 상태에서 서로의 죄를 판결하는 것이다.

'옛날에는 이게 말도 못 하게 빡빡했다지.'

왜냐하면, 인간은 이기적이고 비겁한 존재이기 때문이다. 이중잣대 내로남불은 위인급 자기 객관화가 없으면 결코 피해 갈 수 없다.

남은 음주운전만 해도 예비 살인자라고 손가락질한다. TV에 나와서 말실수 한 번 해도 그, 혹은 그녀가 모든 것을 잃고 파멸하길 바라듯 달려든다.

그러나 그런 주제에.

본인은 살인 강간을 해도 그럴 만한 상황이었다고, 다 이유가 있다고 변명한다.

제삼자의 눈으로 보면 이만큼 추한 일이 없겠지만, 그게 바로 인간이란 생물의 천성이다.

'다만 사람들의 인식이 이 모양이면 정의신의 억압이 상상을 초월하게 된다.'

길가에 쓰레기를 잘못 버려도 얼굴에 낙인이 새겨지는 빡빡한 세상.

그러나 요새는 그 정도는 아니다. 자신들의 그러한 [인식]이 스스로를 힘들게 한다는 걸 사람들이 깨닫게 되었기 때문이다.

결국, 일부가 불편해하는 정도로는 표현의 자유가 제한되지 않는 세상이 되었다.

어떤 사건이나 사회현상이 있었을 때 그걸 불편해 하는 인간이 인류의 50퍼센트를 넘지 못하면 웬만하면 용인되는 분위기. 좋게 말하면 자유롭고 나쁘게 말하면 방종이 허용되는 사회다.

"어? 저기 저 엑스트라 앨런 감독 아닌가?"

"세상에! 기가스를 던졌어!"

"아니 이거 연출을 어떻게 한 거지? 아무리 봐도 진짜 기가스인데!?"

"연출이 아니라…… 저건 실제로 벌어진 사건이라잖아?"

기자들이 감탄하는 동안에도 전개는 이어진다.

"사회에 구성원이 되어 녹아들지도 못하고 특별 취급을 안 받으면 자존심이 상하지. 자신을 따르는 자들의 목숨을 우습게 여기고 그렇다고 이 안전하고 풍족한 행성을 떠나지도 못해."

화면 속의 내가 냉소한다.

심지어 앨런은 내가 이 상황에서 하지도 않았던 회상신들을 추가했다. 멸망하는 제국. 그 아래에서 고통받는 사람들.

"황제라…… 너 같은 놈이 지배했을 세상은 뻔해."

화면 속의 내가 차갑게 웃으며 검을 들어 올린다.

"거지같은 중세 랜드겠지."
"아, 안 돼! 멈……!"

검이 내리쳐진다.
그래도 최후의 자제심은 발휘한 듯 카메라는 박살 나는 녀석의 머리통 대신 단호한 표정의 내 얼굴을 클로즈업했다.
"……꺅!"
기자 중 하나가 신음을 터트린다. 충분히 그럴 만한 장면이었는데도 주위에 다른 기자들이 눈총을 준다.
"앗, 죄, 죄송합니다."
그렇게 사과하자 다들 다시 영화에 집중한다.
"……."
나는 멍하니 화면을 보았다.
영화는 정신없이 진행되었다. 캐릭터들 끼리 갈등을 겪고 또 힘을 합치기도 한다. 묘한 분위기에 휩싸이기도 하고 함께 생사의 경계선을 넘기도 한다.
앨런은 아무 때나 들이밀어 찍어 대던 화면을 거의 손실 없이 활용했다.

내가 밥을 먹는 모습이나, 심지어 백과사전을 집필하는 모습까지 영화에 담겼다. 영화 내에서는 다른 장면으로 활용되었음은 물론이다.

"몰라요. 본 적도 없습니다. 저도 34지구 출신이라는 거 잊었습니까?"

'와. 진짜 찍은 걸 다 썼네. 미친놈인가.'

영화는 정신없이 절정을 향해 달려간다.

액션은 훌륭했다. 성재는 화려한 마법전을, 나는 무지막지한 근접전투를 선보였다. 차크라 마스터인 혜영 역시 어둠에 녹아드는 연출로 자신의 색깔을 톡톡히 선보인다.

그리고 결말.

위기의 순간 일행은 각자의 방식으로 해답에 도달한다.

"나를 봐라! 나는 너희의 왕도, 지도자도 아니다! 나는 너희를 보듬지도 보호하지도 않는다!"

"나는 깃발이다!"

"그냥!"

"그냥 따라와라!"

도검은 우주 해적으로서의 부와 명예를 포기하고 과거

버렸던 제국민들을 구했다. 스스로 황제를 표방하지 않음에도 위엄이 넘치는 그 모습은, 그의 캐릭터를 단적으로 보여 주는 장면이었다.

'오, 오오. 저 얼음의 갑주는…….'

재미있는 건 영화 초중반에 난민들이 꾸준히 황제의 권능에 대한 떡밥을 던졌다는 것이다. 나는 그냥 빙결 능력도 얻은 겸 쓴 것뿐이었는데 앨런은 그것을 내 정체를 드러내지 않고도 제국민들이 짐작하게 하는 장치로 썼다.

'난, 아무것도 포기하지 않아.'

성재의 캐릭터. 병무는 선택의 순간 선택을 하지 않았다. 불가능하다고 생각되던 궁극마법을 성공해 위기를 타파한 것이다. 실로 오만한 천재에게 걸맞은 답이었다.

'어휴 바보들. 내가 챙기지 않으면 누가 챙겨.'

혜영의 캐릭터. 혜선은 해적들에게서 빼앗은 전함을 조종해 한계를 뛰어넘어 그로기 상태에 빠져 있던 두 사내를 구했다.

결국.

세 남녀는 모든 시련과 역경을 이겨 내고 우로보로스에 도착했다. 서로 눈길이 곱지 않은 두 사내를 혜영이 끌고 가며 영화는 끝이 났다.

'와, 진짜 뻔하디뻔한 왕도 전개다.'

누가 내 목에 칼을 겨눠도 명작이라고는 인정할 수 없는 작품.

그러나.

짝! 짝! 짝!

짝짝짝짝!

그 까다롭다는 기자들 사이에서 박수가 터져 나온다.

"와! 이거 재미있네!"

"연출하고 액션은 진짜 인정할 수밖에 없네요. 거의 어르신급 액션 수행 능력 아닌가요? 원래 유명한 성재 씨야 그렇다고 쳐도 나머지 두 분은 정말."

"아니 그보다 그 황제는 어떻게 된 겁니까? 어디서 그런 사람을…… 어?"

흥분해 떠들던 기자가 나를 발견하고 멈칫한다. 나는 뭘 어쩔 수도 없어서 가만히 그를 마주 보았다.

"화, 황제다!"

그가 소리쳤다. 그러자 다른 기자들의 시선도 몰렸다.

"오! 황제다!"

"어디, 어! 진짜다! 여기 있었구나!"

"크! 영화 잘 봤습니다."

마치 원래부터 친했다는 듯 웃으며 기자들이 다가온다.

황제.

오랫동안 나와 함께할 닉네임이 정해지는 순간이었다.

* * *

모든 일정이 끝나고 오랜만에 룸 타워(Room tower)로 돌아왔다.

“어우. 먼지 봐.”

원룸에 들어선 난 바로 관리실에 전화를 걸었다.

[네에. 1803호실…… 사람한테는 안 좋을 수 있으니까 잠시 방에서 나가 주세요.]

“네.”

체다의 코를 눌러 통화를 종료한 후 원룸에서 나가 문을 닫는다.

후우웅!

잠시 후 닫은 문이 파르르 떨리는 게 느껴지는가 싶더니, 알람음이 울린다.

[1803호실 청소가 완료되었습니다.]

다시 문을 열고 원룸 안으로 들어갔다. 퀴퀴하던 원룸이 깔끔해지고 침구도 뽀송뽀송해진 상태.

나는 침대에 누워 고민에 빠졌다.

"개봉일은 아직 좀 남았고……."

평상시였다면 필사를 시작할 상황이지만 내 성으로 2개의 스페셜 보스 그리고 내륙의 고레벨 몬스터 무리마저 몰려오는 상황에 아르데니아의 시간을 흐르게 하는 건 좋은 선택이 아니다.

하물며 지금은 벌어 둔 돈을 모두 주식을 사는 데 쓰는 상황이 아닌가?

"그렇다면, 지구에서 할 수 있는 일을 해야겠지."

나는 접속기에서 살다시피 하며 차크라를 수련했다. 신체(身體) 요소의 성장을 위해 해부학과 운동역학을 공부하고 화점의 보조 때문인지 현문으로 고정되어 있는 냉기 요소는 그 자체를 수련하기보다 동시 개방용 술식들을 공부했다.

무공도 연구했다.

인터넷을 뒤져 일격필살용 초식에 대해 알아보았다. 괜찮아 보이는 걸 발견하면 시립 도서관에 찾아가 구결을 찾아보고 궁리해 보기도 했다.

그러다 시청에 방문한다.

"안녕하세요. 한재연 님. 전투 능력 갱신을 하러 오셨네요."

"네."

나는 정해진 절차에 따라 5장 정도의 서류를 작성하고

설문지에 응답했다. 그리고 시청에 상주하고 있는 진실신의 사제와 커피를 마셨다.

"혹시 능력을 성장시키는 과정에서 법을 어기거나 비인도적인 수단을 쓰셨나요?"

"아니요."

"34지구에 피해를 줄 범죄 행위에 연관되거나 앞으로 그럴 가능성이 있으신가요?"

"아니요."

대략 20개 정도의 문답을 마칠 때쯤 커피를 다 마셨다.

"수고하셨습니다."

"네, 수고하셨습니다."

나는 사람 좋게 웃는 진실신의 사제와 인사한 후 자리에서 일어났다.

"그럼 시험장으로 이동하실게요."

"네."

시청 직원을 따라 걷다 문득 고개를 돌린다. 두꺼운 유리 벽 너머로 진실신의 사제가 보인다.

대충 커피나 마시면서 아무 말 대잔치를 한 것 같지만 조금 전의 질의는 거의 완벽하게 모든 불순분자를 걸러내는 과정이다.

'……부럽다.'

황제가 되어 사람들을 다스리는 시간이 길어지면 길어질수록 정의신과 진실신이 얼마나 사기적인 사회 안전망

인지 깨닫게 된다.

인류제국의 유일한 황제로 견제 받지 않는 절대 권력을 지닌 최고 지도자.

그야말로 무소불위의 권력을 지닌 독재자인 나지만 그럼에도 제국을 완전히 통제하는 것은 불가능하다.

당장 최근에만 해도 정예병이 식당 종업원을 강간하는 사건이 벌어졌다. 클래스 카드를 빼돌려 국외에 팔고자 하는 사례도 있었다.

귀족 출신이 평민 출신을 차별해 사건이 벌어지거나 노예 출신의 정예병이 귀족 출신을 살해하는 증오 범죄가 일어났다.

나는 단호하게 사건들에 처리했지만 그럼에도 완벽한 대처는 불가능했다.

'정의신, 아니, 진실신만 있어도 편할 텐데.'

무소불위의 권력자인 내 앞에서 모두가 고개를 숙이지만 뒤에서는 제멋대로 움직였다. 행정을 위해 임명한 관리가 부정을 저지르고 치안을 관리해야 할 정예병이 권한 이상의 특혜를 누리려 든다.

법을 만들어 선포하고, 사건이 터지면 조사를 하고, 그 조사 결과로 재판을 진행하고, 또 거기에 합당한 형벌을 내려야 한다. 진실신의 사제가 말 한 번 물으면 끝날 문제를 힘겹게 심문해야 하고 알아서 뛰어다니는 정의신의 사제가 없으니 순찰을 돌리고 범죄 조직을 찾아내 박살

내야 했다.

문제는 이렇게 해도 완벽하지 않다는 점이다. 그 모든 과정이 깔끔하지 못하다.

'아, 진짜. 이렇게 불완전하고 오류투성이일 수 있다니.'

생각도 없던 [노예병]을 만든 것 역시 사고를 치는 정예병을 다 죽이거나 가둬 둘 수 없어 낸 궁여지책.

황제가 되고 나서 수련할 시간도 없던 게 내가 게을러서가 아니다. 황제라는 자리는 그 권한만큼이나 많은 책임을 짊어진 자리였다.

"자, 미리 신청하셨던 대로 파괴력 측정으로 등록시켜 드리겠습니다. 준비되셨나요?"

"네."

"그럼 시작해 주세요."

시청 직원의 말에 테스트용 검을 들고 허수아비 앞으로 향한다.

"로그인."

입을 다문 채로 속삭인다. 어느새 장소는 영주성의 집무실. 나는 아이언 캐슬을 내려다보며 차크라를 열었다.

냉기(冷氣). 현문(賢門). 일격(一擊). 접문(接門). 개방(開放).

빙참격(氷斬擊).

온몸에 냉기가 깃든다. 다음 공격 1회에 한에 추가 냉기 데미지를 더해 주는 술식. 그리고 그 상태에서.

"로그아웃."

지구로 돌아와 검을 들었다.

뿌득! 뿌드득!

온몸의 근육이 부풀어 오른다.

스트롱 맨이나 생체력 수련자 같이 과장된 근육. 온몸을 휘감은 진기가 육체의 힘을 극한까지 끌어내 평소 닿을 수 없는 영역으로 내 몸을 떠밀어 버린다.

그대로 내리쳤다.

랜드 브레이커(Land Breaker).

쿠쿵!

시험장이 작게 흔들린다. 허수아비의 색이 파랗게 변해 있다.

"엑……?"

시청 직원의 경악성을 뒤로하고 속삭인다.

"로그인."

아르데니아로 넘어간다. 그리고 그대로 뒤로 넘어갔다.

"끄…… 아!"

덜덜-.

몸 여기저기가 시퍼렇게 멍들었다. 근육이 파열된 고통에 절로 인상이 찡그려지는 와중에 떨리는 손으로 테이블 위에 있던 송편을 집어먹는다.

[쑥 송편(고급)를 섭취하였습니다! 4시간 동안 회복력과 마나 회복력이 100포인트 증가합니다!]

잠시 의자에 앉아 쉬자 엉망이던 몸 상태가 점점 회복되어 간다. 여러 가지 의미로 인간을 초월한 육체였다.

"하. 그래도 이 정도면 한동안 갱신 안 해도 되겠지."

내가 새로 익힌 무공은 인간의 것이 아니다. 심지어, 전투용도 아니었다.

소행성 채굴 전문 거인족 공업사 〈브레이커 공업〉의 파괴기였으니까.

'마음 같아서는 증폭학(增幅學)에 입문하고 싶었는데.'

우로보로스 최연소 교수인 윤용노의 증폭학은 조건만 맞춰지면 일격에 천재지변을 일으키고 용도 때려죽이는 무지막지한 학파로 유명하다. 무공으로도 마법으로도 응용이 가능해 초월자들도 수업을 듣는다던가.

다만 문제가 있다면.

'여러모로 재능이 부족하지. 전제 조건도 충족이 안 되었고.'

난 아쉬운 대로 마공 쪽을 뒤져 보았다. 패널티가 있는 만큼 위력에 보정이 붙는 무학이 바로 마공이었기 때문이다.

그러나 찾아낸 것은 마공이 아닌 공업용 파괴기, 랜드브레이커(Land Breaker)였다.

'이게 무슨 짓인가 싶었지만…… 생각 이상으로 나랑 잘 맞는다.'

일검세는 훌륭한 결전기지만 그래 봐야 내공을 사용하는 기술일 뿐이다.

그러나 내 주 스텟이 무엇이던가?

근력.

우주를 누비던 브레이크 공업은 약 30년 전 34지구에 의탁해 왔다. 그들은 전원 티탄족. 흔히 거신의 후예라 불리는 이들로 오우거에 맞먹는 육체 능력에 뛰어난 영능 적성까지 지닌 상위 종족이었다.

그들은 소행성에서 자원을 채취하거나 붕괴, 해체 등을 주력으로 삼는 이들로 단 하나의 초식으로 이루어진 〈랜드 브레이커〉는 그들의 성명절기다.

[알 수 없는 이유로 회복력이 1포인트 상승하였습니다!]

"하…… 여러모로 좋군."

잠시 휴식을 취했지만, 너무 오래 있을 수는 없다. 이

순간에도 세 무리의 몬스터가 몰려오고 있었으니까.

"로그아웃."

지구로 돌아간다. 팔다리가 후들거렸지만, 척추를 쭉 펴고 꼿꼿이 서도록 노력했다.

허수아비가 말했다.

〈시전 속도 상중-〉

〈소모 코스트 중상. 코스트 효율 하하.〉

〈위력을 계산 중입니다…….〉

〈냉기 데미지 10레벨〉

〈내공 데미지 11레벨〉

〈물리 데미지 15레벨〉

〈종합 데미지 16레벨〉

"우와. 16레벨? 기가스 어빌리티 테스트 때나 보던…… 아니 이 경우는 어르신급이라고 봐야 하나요?"

심드렁하던 시청 직원이 호들갑을 떤다. 나는 약간 지친 상태로 물었다.

"끝입니까?"

"아뇨. 1분 간격을 두고 4번 더 하셔야 해요."

"……."

잠시 후.

나는 레벨 갱신을 마치고 시청을 나섰다. 생체력에 가

까운 거인족의 기술을 썼더니 손발이 덜덜 떨릴 정도로 배가 고프다.

마침 내 맘을 아는 듯 시청 앞에 식당이 있다. [뜨끈한 국밥 한 그릇이면]이라는 이름이었다.

"아."

절로 입에 침이 고였지만 꾹 참고 발걸음을 돌린다.

뜨끈한 국밥 한 그릇을 왜 먹나?

국밥 한 그릇 가격이면 클래스카드 한 장을 사는데!

"로그인."

아르데니아로 돌아간다. 그리고 시종들을 호출했다.

"식사. 10인분 이상으로."

순식간에 호화스러운 만찬이 차려진다. 이제는 지긋지긋한 멧돼지 고기뿐이 아니라 새하얀 밀빵, 감자볶음, 옥수수기름으로 튀겨 낸 튀김 등이 있었다.

삽시간에 먹어치운다.

'아, 역시 아직 맛으론 안 되네.'

황제의 자리에 오르고 식량 사정이 좋아지면서 아르데니아의 음식 수준도 꽤 높아졌다. 특히나 황제인 내 식탁에 차려지는 음식들은 그중에서도 극상.

그러나……. 역사와 전통. 과학과 마법의 힘으로 완성된 현대의 조미료는 감히 중세 랜드가 범접할 수 없는 경지에 이르러 있다.

그냥 먹을 만한 수준이라는 사실에 만족해야 한다.

"로그아웃."

지구로 돌아온다. 그래도 배를 채우니 머리가 좀 돌아간다.

'레벨 갱신을 했으니……. 이제 선택지가 늘어날 거야.'

내가 시청에 레벨 갱신을 한 것은 만일의 상황을 대비하기 위해서이다. 자신의 경지를 숨긴 상태로 사건에 얽히거나 특정 직업을 구하면 불이익을 받을 수 있으니까.

그러나 동시에 레벨 등록은 내가 이만한 능력이 있다는 걸 공증받은 것이기도 하다.

'돈을 벌 선택지가.'

나는 이제 공장에 다니거나, 편의점 알바를 하거나, 클럽 기도를 할 필요가 없다. 이제 난 그 정도 급이 아니다.

나는 천천히 걸으며 새롭게 노릴 수 있는 일자리들에 대해 생각했다.

'일단 격투기 대회에 나갈 수 있다.'

물론 격투기 선수가 엄청나게 돈을 많이 버는 직업은 아니다. 대세는 프로게이머나 기가스 파일럿으로 사람들은 게임 대회나 기가스 파이트를 보지, 격투기를 보지 않으니까.

격투기는 가난한 스포츠.

그러나 그렇다 하더라도.

'준수한 성적을 내면 억대 연봉 정도는 받을 수 있겠지.'

충분히 괜찮은 선택지다. 무엇보다 경기 자체는 별로 많은 시간을 잡아먹지 않으니 나머지 시간은 다른 노동을 하는 데 쓸 수 있다.

다만 문제가 있다면.

'겨우' 억대 연봉 정도로는 리벤지를 플레이하기에 좀 부족하다는 점이다.

'다음으로는 경찰이나 군인도 가능하지.'

경찰이나 군인도 꽤 고수입 직종이니 노려볼 만한 선택지다. 무엇보다 군인이나 경찰은 일신의 무력을 상승시킬 특수한 시술을 받을 수 있다는 장점이 있다.

'그리고 또 가능한 것이.'

"어?"

"……?"

난데없이 날 손가락질하는 사내의 모습에 멈칫한다. 얼굴을 보니 모르는 사람이었다.

그가 말했다.

"어, 그, 오랜…… 만입니다?"

"절 아십니까?"

차분한 말에 사내가 뻘쭘한 표정을 짓는다.

"아, 아닌가. 죄송합니다…… 이상하다."

하하 하고 어색하게 웃더니 그대로 몸을 돌린다. 아니 정확히는 돌리려 하다 비명을 질렀다.

"황제!"

"……?"

느닷없는 외침에 사람들의 시선이 몰린다. 사내는 드디어 기억이 났다는 듯 나를 보며 환하게 웃었다.

"황제! 황제 맞으시죠!?"

"어? 그러고 보니 저 얼굴."

"맞다! 황제다, 황제!"

"사진 찍어 주세요!"

"사인이요, 사인!"

여기저기에서 사람들이 알아보고 다가온다. 나는 그제야 깨달았다.

'아, 그렇구나.'

어느새 시간이 많이 흘렀다.

영화가 개봉해 있었다.

엄밀하게 말해서, 영화는 34지구의 주류 문화가 아니다.

'주류는 게임이지.'

너무나 당연한 일 아닌가? 34지구는 게임 마스터, 그러니까 게임신이 지배하는 곳이다.

대부분 사람이 자연스럽게 게임을 접하고 최고의 인기 스포츠가 E-스포츠인 세상.

그리고 그런 환경에서.

[교수 지망생 2090년 첫 5천만 관객 달성!]

[올 여름 최고의 블록버스터!]

[신인 배우들의 무서운 활약! 스칼렛과 황제는 어떤 이들인가?]

[충격 정보! 황제는 어르신급 강자!?]

교수 지망생의 흥행은 그야말로 상상 이상이었다.

↳무비광 : 앨런 감독 인생작. 대사는 잘 뽑아도 액션이 문제였는데 이번엔 정말 흠잡을 곳이 없음

↳정무문 : 눈이 정말 즐거운 영화

↳용사18 : 와, 다른 사람도 아니고 성재랑 삼각관계를 만들 수 있다니 정말 대단하다.

↳청아 :외모 차이가 이렇게 나는데(황제가 못생겼다는 건 아니에요 ㅠㅠ) 끝까지 긴장감을 유지하는 게 진짜 대단하지 않아요? 이걸 뭐라고 해야 하지. 야성미? 카리스마?

↳개럴트 : 섹시하다…… 아니 그런데 어디 출신 이민자예요? 황족이 맞긴 한 듯한데.

'자고 일어나니 스타가 되어 있었다.'라는 표현에 딱 맞는 상황이다. 길을 걸으면 사람들이 알아보고, 사방에서 연락이 쏟아진다.

[웨이터 창식] 형님! 저한테 말 한 마디 없이 영화를 찍으시다뇨! 제가 방송국 일도 소개해 드렸는데 서운합니다!

[스타게이트 오너 빅 맨] 여! 기도 그만두고 뭘 하나 했는데 성공했구만. 여유 되면 한번 놀러 와. 내가 근사하게 한 잔 사지.

[웅녀철강 작업반장 준환] 한씨! 영화에 나왔다면서! 내가 깜짝 놀라서…….

[알 수 없는 상대]: 저기 오빠 나 기억해? 우란이야. 화면이긴 해도 오랜만에 얼굴 봐서 반갑다…….

"어우, 보통 난리가 아니네."

수련에 집중하던 난 끝없이 울어 대는 체다를 음소거시켰다. 이왕 찍은 영화, 당연히 망하는 것보다 흥하는 게 좋지만, 시선이 너무 끌리니 또 걱정이었다.

"아, 이렇게 되면 일자리 구하는 데 방해가 되는데."

격투기 시합에 나가야 한다.

격투기는 흔히 가난한 스포츠라 불리지만 모든 스포츠가 다 그렇듯 탑 클래스에 도달하면 이야기가 달라진다.

게다가 길면 일주일에 한 번, 짧아도 3일에 한 번 1시간 안쪽으로 일하고 괜찮은 소득을 올릴 수 있는 일거리는 그리 흔치 않겠지.

물론 단번에 프로 대회에 나갈 수는 없다.

"……뭐, 소란스러우면 소란스러운 거지."

조금 걱정이 되었지만 걱정된다고 돈을 안 벌 수는 없는 일 아닌가?

나는 인터넷으로 아마추어 격투기 대회에 등록했다.

"아, 하는 김에 다 해야지."

나는 검을 들고 싸우는 검투 대회와 아무 제한이 없는 무투 대회에도 등록했다.

그리고나 잠시 후.

[잠시 통화 가능하실까요?]

시청에서 연락이 왔다.

"무슨 일입니까?"

[아, 네. 격투기 대회랑…… 검투 대회, 무투 대회에 등록하셨네요.]

시청 직원의 말에 문득 짐작되는 게 있어 물었다.

"아, 혹시 체급 문제 때문에 그러신가요?"

하긴 내가 아마추어 대회에 나갈 급이 아니긴 하다. 직장인 선수나 학생 선수도 있을 텐데 지나친 일이겠지.

[네, 맞습니다.]

"하지만 경력이 없어서 프로 대회에는 신청이 안 되던데요."

[아, 안 된다는 말이 아니라 안내 때문에 전화드린 겁니다. 아마추어 대회의 경우 선수의 능력을 제한하는 결계가 설치되거든요. 스텟으로 치면 400포인트 이상이 될 수 없고 영능의 경지도 완성자 미만으로 제한될 겁니다.

그래도 괜찮으시겠습니까?]

당연히 문제없다. 입문자 수준의 내공으로 기사들 머리를 깨고 다니던 나다.

'물론, 아무리 아마추어라고 해도 중세 랜드 기사 따위가 지구의 수련자들과 비교할 바는 못 되겠지만 말이야.'

아르데니아 최고 수준의 검객이나 기사단장도 지구에서 보면 학급에 하나 있는 일진 정도의 전투력일 뿐. 평화로운 34지구 출신이면서 이런 대회에 나온다는 건 절대 가벼운 의미가 아니다.

"물론입니다."

[네, 그럼 처리해 놓지요. 건승을 빕니다.]

"감사합니다."

통화를 종료하고 인터넷을 뒤진다. 다른 돈벌이를 떠올리기 위해서였다.

"경찰하고 군인은 아웃."

나쁘지 않은 선택지였지만 근무 시간이 짧지 않고 무엇보다 제약이 많다. 리벤지를 계속 돌려야 하는 처지에서 그런 직업을 고를 수는 없었다.

"공사장…… 으음. 이것도 페이가 괜찮네."

때마침 달에서 대규모 토목 공사가 있었다. 특수 인부 모집 요건에 [거인 이상의 근력. 우주에 맨몸으로 던져져도 잠시간 버틸 수 있는 생명력]이 걸려 있는 것을 보니 나와 잘 맞을 것 같다. 장비가 없는 만큼 생명력이 부족할 수 있지만, 수호령을 바꿔 끼면 감당 가능한 수준이었다.

"그럼 이것도 신청하고……."

그리고 틈틈이 할 일도 찾는다.

"방송도 해 보자."

이왕 연예인이 되고 얼굴이 팔렸는데 활용하지 않는 것도 아까운 일.

다만 콘텐츠가 없다.

"노래하기도 뭐하고 썰을 풀 넉살도 없고……."

결국, 가장 쉬운 길을 택했다.

"햇살은 벼락같았다. 살을 지지고 영혼을 태우는 벼락."

[샤인라이트 영웅 전기]를 읽었다. 이런 식의 채널들도 있다는 사실을 알았기 때문이다. 다만 저작권 때문에 말이 많았는데, 나는 내 소설을 읽으면 되니 문제없는 상황이다.

그리고 그렇게 일을 하는 와중에도 시간이 흘렀다.

[화제의 작품 교수 지망생이 6천만 관객을 돌파했습니다! 근래 침체되어 있던 영화계에 단비 같은 소식인데요! 혹시 미나 씨는 영화 속 악역이었던 브람의 죽음이 연출이 아닌 현실이라는 상황을 알고 계신가요?]

[세상에! 대체 무슨 일이죠?]

한 달이 지났다. 매일매일이 정신없이 흘러간다.

나는 책을 읽는 영상을 찍으며 아마추어 대회에 나갔다. 당연히 전투는 손쉬웠다. 회사를 다니며 겸사겸사 나중에 경찰이나 군인이 되기 위해 겸사겸사 출전한 아마추어들은 내 상대가 될 리 없었다.

[와! 인간치고 정말 힘이 좋은데! 덩치도 작아서 정말 좋아!]

[이게 그 생체력인가 뭔가 하는 그건가?]

공사장에 취직해 달에 가기도 했다. 임무는 거대한 건축물들이 착륙하면 그것을 조립하는 단순한 작업.

작업 자체는 단순하지만 필요한 스펙이 워낙 엄청난 데다 위험하기도 해서 수익이 상당했다. 특히나 거인족인 다른 인부들과 달리 인간 사이즈인 난 상당한 경쟁력을 가지고 있다.

다시 한 달이 지났다.

"강남 구청장배 종합 격투전! 우승자는 한재연!"

상금과 트로피를 받았다. 그 액수는 300만 원으로 거금이거나 하진 않았지만 프로 대회 자격이 주어진다는 게 중요하다.

"일성 전사배 무투 대회 우승자는 한재연!"

돈을 번다.

공사장에서 벌어들인 임금과 또다시 나온 인세. 거기에 우승 상금을 더하니 3,000만 원이 되었다.

나는 140만 원대로 떨어진 주식을 20주 구매했다.

시간이 흐른다. 나는 복잡하게 머리를 쓰거나 계획을 잡는 대신 그저 매일매일을 반복했다.

일을 한다. 돈을 번다. 주식을 구입한다.

일을 한다. 돈을 번다. 주식을 구입한다.

그리고 그 즈음.

영화사로부터 돈이 들어왔다.

[J.M.T엔터테인먼트에서 6억 8,312만 원을 입금하였습니다.]

앨런이 말한 대로 상당한 금액이었다. 심지어 아직 해외에서는 개봉도 하지 않았다.

"물론…… 이게 해외에서도 잘될지는 장담할 수 없지."

행복 회로를 돌리면 해외뿐 아니라, 대우주 다른 행성. 다른 문명에도 팔아먹을 수 있다고 기대할 수 있겠지만 문자 그대로 행복 회로일 뿐이다.

왜냐하면, CG의 사용을 최소화하는 34지구의 영화는 외계에서 잘 먹히지 않기 때문이다. 외계인 중에서도 영능을 각성해 기존 CG에 이질감을 느끼는 영능력자들에게는 엄청난 인기를 끌지만, 34지구와 달리 다른 문명에서 이능력자는 극히 소수.

반대의 이유로 외계의 영화들도 34지구에는 잘 못 들

어오는 편이다.

"와, 이거 언제까지 떨어지지?"

가진 돈을 몽땅 써서 또 주식을 사면서도 신음한다. 어느새 네메시스의 주식은 122만 원까지 떨어져 있었다.

주식 앱을 켠다.

네메시스(570주) : 667,584,000원.[−723,216,000원(−52%)]

"……."

굉장한 수익률이다. 딱 반토막. 돈을 벌기 위해 주식을 했다면 눈 딱 감고 한강에 뛰어들 정도로 처참한 결과.

사실 나도 비슷한 기분이었다.

"아, 머리 아프다……."

매일매일 일만 하는데 7억이 손해라니 이게 현실이란 말인가? 물론 주식이란 게 팔지 않으면 손해가 아니라지만, 지금까지 주식을 안 샀다가 샀으면 이미 주식이 1,000주가 넘었을 상황이 아닌가!

"어쩔 수 없었다고…… 1,500만 원짜리가 340만 원이 되었는데 어떻게 안 사……."

그렇다. 어쩔 수 없었다. 설마 거기에서 더 떨어져 122만 원이 될 거라고 누가 예상할 수 있단 말인가?

"아."

두통이 온다. 그러나 이제 와서 멈출 수는 없다.

이번에야말로 저점이라 믿으며 122만 원까지 떨어진 주식을 559주 구매했다. 영화사로 받았던 돈이 삽시간에 사라져 버린다.

나는 돈을 벌었다. 그리고 주식을 샀다.

다시 돈을 벌어 또 주식을 산다.

중간에 예능 출연 제안이 왔지만 거절했다. 출연료 30만 원이라니 껌값으로 떨어진 네메시스 주식도 못 살 돈이 아닌가?

시간이 흐른다. 가을이 지나고 사람들의 옷이 두꺼워지는 겨울.

어느새 연말이 되었다.

"네메시스 소프트로부터 초대장이 발급되었습니다."

"……응?"

넋 놓고 하루하루를 보내다가 체다의 말에 정신을 차린다.

"아, 그렇구나. 다시 이날이 왔어."

유저 간담회.

내가 달마다 삭제하는 전설 수호령과 펫을 얻게 된 곳이자, 네메시스의 대표인 배사랑을 만났던 행사다.

"좋지. 이번에는 뭘 주려…… 응?"

희희낙락하던 순간 체다가 말한다.

"스카이 소프트로부터 초대장이 발급되었습니다."

"스카이…… 소프트?"

어딘가 낯익은 이름. 이내 나는 그게 뭔지 떠올릴 수 있었다.

"이거 리얼 스테이지 제작사 아닌가?"

흔히 말하는 갓겜 개발사다. 돈은 많이 벌어도 평판은 좋지 않은 네메시스와는 정반대에 있는, 그야말로 역사와 전통의 명가.

이름은 들어 봤지만 한 번도 플레이해 본 적 없었던 리벤지와 달리 스카이 소프트의 게임은 나도 많이 해 보았다. 그중에는 스토리가 훌륭한 패키지 게임도 있었고 완벽한 자유도의 오픈 월드 게임도, 빈틈없는 밸런스의 MMORPG도 있었다.

"하지만…… 여기서 왜 초대장을 보내지?"

나는 인터넷을 검색해 보았다.

상당히 많은 검색 결과가 나온다.

〈차세대 대작 MMORPG 로스트 월드! 클로즈 베타 평가는?〉

〈잃어버린 세계, 34지구에 새로운 세상을 열다!〉

"이게 뭐야. 스카이 소프트에서 신작을 내나 보네."

중얼거리며 스트리머들이 베타 테스트를 하며 올린 영상들과 리플 등을 확인했다.

〈뭐든 할 수 있는 자유도, 아름다운 배경, 매력적인 캐릭터, 장대한 스토리 라인…….〉

〈남부 지대 메인 퀘 깨면서 감동의 눈물을 흘렸습니다ㅠㅠ〉

〈과금 요소가 거의 없다. 대표님! 돈 더 버셔야 하는 것 아닌가요?〉

전체적으로 평가가 아주 좋다.

하긴 당연한 일이다. 스카이 소프트는 흔히 말하는 대작 게임을 몇 번이고 출시한 신뢰감 있는 개발사. 그런 개발사가 사력을 다해 게임을 만들었고 베타 평가가 호평밖에 없으니 사람들이 기대하지 않는 게 오히려 이상한 일이었다.

그러나 여전히 나에게 초대장이 온 이유는 알 수 없었기에 초대장을 확인하려는데 인터뷰 하나가 눈에 들어온다.

클릭할 수밖에 없는 제목이었다.

〈스카이 소프트, 네메시스 소프트 안수하나?〉

"이게 뭔 소리야?"

깜짝 놀라 영상을 재생시킨다. 사회자와 금발의 미남이 마주 앉아 있는 모습이 보인다.

[네메시스 주식을 사들이고 있다는 소식이 있어요. 특별한 목적이 있습니까?]

[네, 로스트 월드를 완벽하게 만들 마지막 조각을 발견했기 때문입니다.]

[오! 대규모 전쟁 게임인 리벤지에서 영감을 얻으신 건가요?]

사회자의 말에 금색 눈썹이 꿈틀거린다.

[우선, 말씀에 오류가 있군요.]

[네?]

의아해하는 사회자를 향해 스카이 소프트의 대표 샤이닝이 단호하게 말한다.

[리벤지는 게임이라고 할 수 없습니다. 그저 고객을 충동시켜 돈을 뜯어가는 사이버 도박판일 따름이죠.]

[…….]

"와, 미쳤나."

물론 틀린 말은 아니지만 남의 회사를 공적으로 이렇게 깎아내리다니? 내가 황당해하거나 말거나 샤이닝은 단호히 말을 이어 나갔다.

[제가 필요한 것은 그저 기술 하나입니다. 저희는 공격적으로 주식을 사들였고 이제 거의 목표점에 도달했지요. 우리의 로스트 월드는 가장 완벽하고, 아름답고, 누구나 훌륭한 경험을 할 수 있는 두 번째 세상이 될 것입니다.]

"이거 세컨드 라이프 프로젝트를 말하는 모양인데."

그러고 보니 리전이 기술 제휴를 했음에도 다른 게임에서 1급 심도. 그러니까 완전한 가상 현실을 구현했다는 이야기가 없다. 단지 시간이 더 필요한 거라고만 생각했는데, 어쩌면 뭔가가 더 필요한 것일지도 모른다.

[M&A를 하시겠다는 건가요?]

[그것은 과정일 뿐입니다. 저희는 리벤지, 정확히는 거기에 속한 기계별(Machine star)을 원하고 있으니까요.]

"이게 무슨 말이야…… 스카이 소프트에서 리벤지를 뺏어간다는 말인가?"

영상을 보다 무심코 중얼거린다.

그리고 생각한다.

"좋은 거…… 아닌가?"

스카이 소프트는 무려 50년 동안 34지구 최고의 인기 게임으로 군림했고 시간이 지났음에도 명작으로 인정받고 있는 〈리얼 스테이지〉의 개발사이다.

그들은 게임 마스터 관대하의 열렬한 추종자들로 이루어져 있었고 그렇기에 그들이 게임 개발에 임하는 자세가 일반적인 게임사와 좀 다르다.

게임에 극도로 진지하고 완벽한 게임을 만들기 위해 뭐든지 하는 사람들.

그리고 그런 그들이 리벤지를 서비스하게 된다면.

"과금이 합리적으로 변하겠지. 게임만 진지하게 해도

모든 콘텐츠를 다 즐길 수 있게 될 테고."

던전만 돌아도 전설템이 나오고 레이드만 해도 신화템이 나올지 모른다.

스킬을 돈을 주고 사는 게 아니라 레벨 업을 해서 얻은 스킬 포인트로 일정 트리를 짜 올리게 될지도 모른다!

'신뢰와 믿음의 스카이 소프트가 리벤지를 서비스하게 된다면?'

그렇다면 주식의 가치도 껑충 뛰어오르게 될 것이다.

"오, 오오, 오오오……?"

희망적인 관측에 뭔가 벅차오르는 감정을 느끼는 순간이었다.

[그렇다면 리벤지는 어떻게 될까요?]

[게임이 아닌 도박판을 그대로 유지할 이유가 없습니다.]

너무나 단호한 태도로 샤이닝이 말했다.

[점진적으로 사용자들이 사용한 재화를 환불해 드린 뒤, 서비스를 종료할 것입니다.]

"……뭐?"

순간 멈칫한다. 어이가 없어 화면을 보았다.

"아니 이게 뭔 개소리야!?"

버럭 소리를 질렀지만.

초월지경에 올라서도 게임 개발을 하는 금발의 사내는 단호한 표정을 짓고 있을 뿐이었다.

"아니 이럴 게 아니라."

문득 떠오르는 생각에 다급히 주식 앱을 켠다.

네메시스 - 1,786,230원(+615,030원)↑

"……역시."

주식이 미친 듯이 상승하고 있다. 스카이 소프트에서 본격적으로 네메시스 소프트의 주식을 사들이고 있기 때문이리라.

"아니, 적대적 M&A를 하려면 몰래 해야지. 왜 이렇게 공개적으로…… 아."

그 순간 나는 깨달았다.

"샤이닝은 진실신의 사제였지."

더불어 명예신의 사도(使徒)의 자리에까지 올랐다. 정의신의 사제도 되고 싶어 했지만 실패했다고 한다.

아무리 초월자라도 사업하면서 정의신의 눈에 들기는 쉽지 않은 일이었던 모양이다.

"그럼…… 아까 그 인터뷰는 [진실의 선언]이겠구나."

진실신의 사제가 가진 능력은 단순히 참과 거짓을 가려내는 것만이 아니다. 겨우 그것뿐이었다면 그냥 아주 뛰어난 거짓말 탐지기와 다를 바 없지 않겠는가?

진실의 근간은 말(言).

진실의 사제들은 진실을 말하고 가려내는 것으로도 업

을 쌓지만, 그보다 더 강력한 수행 방법이 존재한다.

정의신의 사제가 단순히 정의를 지키는 것보다 악인을 징벌하는 것으로 더 큰 업을 쌓는 것과 같다.

핵심은 간단하다.

'먼저 말을 하고, 이후에 그것을 진실로 만든다.'

매일 조깅을 10킬로미터씩 뛰겠다든가 시험 성적을 10점 올리겠다든가 어떤 자격증을 따겠다든가 하는 선언을 하고 그것을 이루어 내면 사제로서 성장하게 된다. 그 일이 어려우면 어려울수록 성장 폭은 더욱더 커진다.

그리고 그렇게 말이 진실이 되는 과정이 반복되면?

'진실신의 사제가 가진 언령의 힘 또한 높아지게 되지.'

사제로서의 수준이 충분히 높아지게 된 후의 선언은 단순한 선언이 아니다. 그 선언 자체가 언령이 되어 일종의 [보정]을 받게 된다.

세계 자체가 도와주는 꼴이다. 미묘한 우연들이 선언에 이로운 쪽으로 발생하고 호재와 악재가 있다면 가급적 호재가 발생하는 것. 불가능을 가능으로 바꾸는 수준은 아니더라도 이 보정이 있고 없고는 그야말로 천지차이다.

"공개적으로 폭언을 하던 게 그저 성격이 더러워는 아니었나."

다 이유가 있는 행보였다. 하긴 초월자쯤 되는 인물이 그리 단순하게 움직이지는 않을 것이다.

"아, 이젠 그럼 어쩌지?"

혼란스럽던 마음을 가라앉히고 차분히 상황을 관조한다.

그러자, 냉엄한 진실 하나가 명확하게 인식된다.

"내가…… 뭘 어찌할 건 없어."

죽어라 네메시스의 주식을 사 모았다. 배우로서의 개런티, 작가로서의 인세, 선수로서의 파이트머니, 노동자로서의 일당까지. 거기에 더해 하루가 다르게 내려가는 주가는 내가 보유한 주식의 수가 늘어나는 데에 크게 이바지했다.

그러나 그렇게 해 봐야.

'2천 주에 불과해.'

네메시스 소프트의 상장 주식 수는 약 2,392만 주에 달한다.

즉 2,000주의 주식을 휘두를 수 있는 지분율은 1%도 0.1%도 아닌 0.01%에도 미치지 못한다는 것!

이 정도 주식으로는 난데없이 발발한 이 주식 전쟁에서 백기사도 흑기사도 될 수 없다. 나는 널리고 널린 개미 중에 좀 덩치가 큰 수준에 불과하니, 굳이 뭔가 된다면 병사 1 정도겠지

"하기야 당연한 일인가……."

네메시스의 대표 배사랑은 누구인가?

그녀는 세계 최대의 기업인 일성의 대표, 배재석의 딸

로 고작(?) 1,000억에 불과한 용돈을 들고 독립해 네메시스를 세운 입지전적인 인물이다.

그녀의 배경이 없었다면 불가능한 일이었다고, 또 돈만 아득바득 벌고자 하는 천박한 경영 철학 덕분에 가능한 일이었다고 비웃는 이들이 많지만 그런 말들이 그녀의 비범함을 감출 수는 없다. 게임 마스터가 지배하는 행성에서 매출 1위의 게임이라는 건 결코 가벼운 의미가 아니니까.

그리고 샤이닝.

배사랑이 입지전적인 인물이라면 그는 시대의 거인(巨人)이다.

게임 마스터 관대하의 추종자이자 명예신의 사도, 진실신의 고위 사제인 그는 9클래스의 대마법사이자 세계 10대 부호 중 한 명. 34지구에 가장 최적화된 존재라 불리는 존재.

물론 지금의 나도 스스로의 힘만으로 보통 사람이 상상하기 어려운 금액을 벌어들이고 있지만, 그래 봐야 널리고 널린 시민에 불과하다.

저 둘에 비하면 움직일 수 있는 자금도, 영향력도 비교할 수 없이 작은 존재다.

네메시스 - 2,809,430원(+1,023,200원)↑

"……한동안은 주식 못 사겠네."

미친 듯 상승하는 주식을 보며 이제부터는 다이아나 사야겠다고 생각한다.

"꼬맹아! 그놈의 주식 좀 그만 보고 와서 공사나 도와! 언제까지 쉴 거야!"

우주선을 쩌렁쩌렁 울리는 고함에 자리에서 일어난다.

작업을 위해 우주복을 입다 멈춰 체다의 등에 떠 있는 화면을 바라보았다.

[점진적으로 사용자들이 사용한 재화를 환불해 드린 뒤, 서비스를 종료할 것입니다.]

"……아니지?"

내가 뭘 할 수는 없다.

그냥 지켜보며…… 걱정만 한다.

"진짜 서비스 종료까지는 하지 못할 거야. 그렇지?"

리벤지의 서비스가 종료되었을 때 무슨 일이 벌어질지 상상도 가지 않는다. 어쩌면 내가 모든 게임 능력을 잃고 예전으로 돌아갈 수도, 어쩌면 이미 존재하게 된 아르데니아는 그대로 유지되는 대신 과금만 못하게 될 수도 있다.

그리고 어쩌면…… 리벤지가 사라지고 들어설 갓겜이 내 새로운 게임 능력이 될지도 모르지.

'하지만 이제 와서는 그것도 싫다.'

나는 이미 아르데니아에서 20년이 넘게 살았고 이제는 수많은 사람을 이끄는 황제가 되었다.

상황의 변화 자체가 나에게는 너무도 큰 위협이거늘 아무것도 할 수 없다니.

"가상 현실 뺏어가는 정도로만 하자……."

그렇게 기도하는 사이, 작업장에서 다시 날 부른다.

"꼬맹아! 이 주식쟁이 진짜!"

"아, 간다! 가!"

버럭 성질을 부리며 작업장으로 향한다.

일단은 내 일과에 집중할 때였다.

* * *

달에 새로운 건축물 [달의 요정]이 세워졌다. [드워븐 건설]의 대표 김성식은 함박웃음으로 직원들을 치하했다.

"다들 고생했어! 잔금 받고 해산!"

나는 산처럼 쌓여 있는 음식들을 배불리 먹은 뒤 자리에서 일어났다. 내 옆에서 함께 식사하고 있던 거인족 마모루가 고개를 돌린다.

"오! 주식쟁이 이제 지구로 돌아가나?"

"아, 가끔 훑어본 것 가지고 되게 뭐라고 하네."

마모루는 거인족과 인간 사이의 혼혈이다. 거인족이었

던 어머니를 우주 용병 일을 하던 일본인 어르신이 구해주면서 맺어지게 되었다던가.

드워븐 건설의 인부는 대부분 순수 거인족이었기 때문인지 인간인 나에게 특히나 살갑게 굴었다.

'그러고 보면 신기하긴 하네. 거인족 키가 4미터도 넘는데 어떻게 맺어진 거지.'

그를 볼 때마다 이름 모를 그의 부친에 대한 감탄이 밀려온다. 여러모로 대단한 인간인 것 같았다.

하기야 우주 용병 일을 하는 어르신이 평범한 인간은 아니겠지.

"하하! 일에 집중을 못 하니 그렇지. 뭐 그래도 대단했어. 순수 인간 중에 너만큼 힘센 사람이 있을 줄은 몰랐거든. 그 덩치로 오우거보다 세다니."

마모루는 사람 좋게 웃다가 문득 기억이 났다는 듯 물었다.

"아, 맞아. 너 혹시 영화 찍었어? 내 동생이 널 알던데."

국내에서 6천만 관객을 훌쩍 넘는 기록을 세운 교수 지망생은 해외에서도 훌륭한 성적을 거두었다. 역대급까지는 아니더라도 그에 준하는 수준. 덕분에 나 역시 엄청난 수입을 얻을 수 있었다.

지금은 다 주식으로 변한 상황이지만서도.

"뭐, 그렇긴 하지."

"영화배우가 공사 일을 왜 해?"

“일을 왜 하냐니 무슨 바보 같은 질문을. 당연히 돈 벌려고 하지.”

물론 돈이야 당연히 영화가 더 많이 벌지만 그렇다고 영화 하나만을 바라보고 있을 수는 없다.

멀리 갈 것도 없이 신화 성 업글만 해도 정말 까마득하다. 나는 계속 벌어야만 했다.

“흠, 그럼 차기작은 안 정한 거야?”

“이야기들이 있긴 하지.”

사실 있는 정도가 아니라 꽤 많다. 영화뿐이 아니라 드라마나 예능 고정에 관한 이야기도 많았는데.

‘페이가 썩 맘에 들지 않는단 말이지. 생각보다 제한도 많고. 차라리 공사판을 돌거나 시합을 뛰는 게 더 이득일 정도다.’

고정급도 그냥 저냥 한 수준에 러닝 개런티를 제시하는 이는 거의 없는 상황이니, 알아보면 알아볼수록 앨런이 얼마나 좋은 조건으로 날 섭외한 것인지만 깨닫게 된다.

투자자들이 자기 목을 조를 것이라던 앨런의 말이 농담이 아닌 듯했다.

“흠, 그럼 크리스마스 때 파티에 올래? 내 동생도 영화 쪽 사람이라 들을 이야기가 많을 텐데.”

마모루의 말에 고개를 흔들었다.

“아, 그때는 안 돼. 이미 일정이 있어서.”

“아, 역시 연예인이구만. 그러면 1월 1일은 어때?”

"그때는, 가능할 수도 있겠네. 일이 많아서 오래 있지는 못할 테지만."

바쁘디바쁜 현대사회.

이곳의 작업이 끝났으니 새 일을 구해야 한다.

"엄청 빡빡하게 사는구나. 너…… 여기 공사에서 번 돈만 해도 몇 개월은 놀고먹을 텐데."

"그냥 먹고 살려고 버는 게 아니니까."

결국 난 모든 작업을 마친 후 워프 게이트를 통해 지구로 돌아왔다. 일정이 많아서 여유를 부릴 시간이 없다.

"청 코너! 무시무시한 속도로 프로를 향해 나아가는 무서운 신인이죠! 황제! 한재연!"

아직도 상대는 약했다.

아마추어 수준은 벗어났지만 아직도 세미프로였기에 상대의 수준은 고만고만하다. 상대 중 특별히 강한 녀석도 이제 막 완성자에 도달한 정도.

라이선스 같은 건 딱히 필요 없는 자유로운 판이었지만, 프로까지 필요한 최소 경기 수가 있었기에 기회가 나올 때마다 꾸준히 뛰어 줘야 했다.

"아주 건방진 별칭이야. 새파란 신인이 황제라니."

상대방이 나를 도발했다.

내가 해 줄 답은 주먹질뿐이었다.

콰앙!

"다운! 다운! 청 코너 승!"

경기를 마치고 집으로 돌아간다.

"그러나 언제나 그는 고민했다. 검의란 무엇일까? 이 동작에 담긴 의미가 삶과 죽음보다 더 가치 있는가? 샤인라이트는 전장 한가운데에서……."

영상도 계속 찍었다.

그리고 잠도 잤다.

"아, 시간이 아깝다……."

가급적 지구에서 자고 싶지 않다. 잠을 자는 만큼 돈 벌 시간이 날아가는 셈이었기 때문.

그러나 아르데니아의 시간도 급박한 상황이니 어쩌겠는가?

어쨌든 그렇게 자고 일어난 후.

나는 늘 입던 양복을 입고 호텔로 향했다.

"작년에는 숙박권을 줬었는데 올해는 없나."

리벤지의 매출이 여전한데도 VVIP에 대한 취급이 소홀해졌다. 네메시스의 고객 관리가 허술해졌다기보다 지금 벌어지고 있는 주식 전쟁으로 네메시스의 현금이 마르고 있다는 뜻이리라.

"하기야 마를 수밖에 없지."

나는 호텔을 향해 걷던 발걸음을 멈췄다.

"야옹."

체다와 눈을 마주치자 녀석이 뭘 원하는지 알겠다는 듯

주변에 있던 난간으로 뛰어올라 주식 화면을 띄운다.

'그야말로 자동이네. 마모루가 주식쟁이라고 투덜거릴 만하다.'

당장 주식을 팔 것도 살 것도 아니면서 틈만 나면 들여다보니 어쩌면 당연한 결과.

그러나 나도 어쩔 수 없었다.

누구라도 볼 수밖에 없을 것이다.

네메시스 - 20,459,430원(+2,011,800원)↑

"와."

다시 봐도 감탄이 나온다.

"와 진짜."

너무나 압도적인 빨간색이었다.

"종료."

누가 볼까 두려워 화면을 꺼 버리자 체다의 털이 차르륵 눕혀지며 갈색 털로 돌아온다. 나는 호텔로 성큼성큼 들어서며 생각했다.

'어쩌지? 어떻게 하지?'

400억.

평생 생각도 해 본 적 없는 액수다. 능력이 향상되면서 과거와 비교할 수 없을 정도의 돈을 벌어들이고 있는 지금도 현실감이 느껴지지 않는 금액.

"그냥, 그냥…… 그냥!"

가슴이 쿵쿵 뛴다.

'다…… 팔아 버릴까?'

별의별 생각이 다 든다. 400억이라니 그 정도 돈이면 신화급 클래스, 수호령, 펫은 물론이고 신화급 장비와 스킬마저 장만할 수 있다.

난 이미 화점을 지배하고 있으니 400억도 다 필요 없다. 100억 안쪽에서 해결할 수 있겠지.

물론 문제는 있다.

'그랬다가 리벤지가 서비스 종료되면서 게임 능력이 사라지기라도 하면 완전 나가리야.'

돈은 돈대로 사라지고 능력도 사라지는 최악의 상황.

물론 다른 선택지도 있다.

'지금 주식을 다 팔아 버리고 그냥 현금 400억을 먹는 것.'

아르데니아로 들어갈 수 없는가?

그래도 400억이 남는다.

게임 능력이 사라져 버렸는가?

그래도 400억이 남는다.

"하하. 나 참."

보통 사람이라면 고민할 선택지가 아니다. 400억이면 굳이 투자 같은 걸 할 필요 없이 은행에만 맡겨도 다달이 나오는 이자가 6,000만 원이 넘기 때문이다.

월 이자가 6,000만이라는 게 무엇을 뜻하는가?

'죽을 때까지 노동을 할 필요가 없다는 뜻이다.'

좋은 집에서 좋은 옷을 입고 맛있는 음식을 먹는 호화로운 삶을 살 수 있다. 세상의 많은 이들이 바라는 꿈같은 삶.

그러나 이내 고개를 흔들었다.

"……웃기지도 않는 소리."

마냥 편안한 삶, 그냥 놀고먹는 삶, 일하지 않아도 되는 인생.

내가 그런 걸 원했다면 지옥이나 다름없는 중세 랜드에 던져졌을 때 그토록 큰 기쁨을 느꼈을 리 없다.

'하. 요새 너무 돈돈 했나. 잠시 이성을 잃었어.'

예전의 나는 금전에 아무런 가치를 두지 않는 사람이었다. 부자를 봐도 부럽다고 생각한 적 없고 어떻게 하면 돈을 많이 벌 수 있을지에 대한 고민 역시 없었다.

참 재미있는 일이다.

돈 한 푼 없는 백수일 때보다 매일 죽어라 일하는 지금, 돈의 가치가 더 크게 느껴지다니.

'그런 면에서 이 400억을 리벤지를 지키는 데 쓰는 것도 하나의 선택지지. 배사랑 대표 쪽을 지원한다든가.'

생각해 볼 만한 선택지다. 이 능력도 아르데니아도 나에겐 너무나 소중한 것이기 때문.

그러나 여기에도 문제가 있다.

'이 돈을 다 쏟아붓는다고 해도 리벤지를 지켜 낼 수 없을 수 있어.'

개인은 몇 번 죽고 태어나도 벌 수 없는 400억이지만 대기업 입장에서는 프로젝트 하나를 진행하기에도 모자란 돈일 수 있다.

내가 네메시스 소프트에 힘을 보태도 리벤지의 서비스가 종료될지 아닐지에 영향을 끼칠 수 없다는 말이다.

"안녕하십니까. 고객님. 혹시 예약하셨을까요?"

카운터에 있는 화사한 얼굴의 직원이 말을 건다.

"아뇨. 네메시스 소프트 간담회에 참석하려고 왔습니다."

"바로 안내해 드리겠습니다."

직원을 따라 걸으며 생각한다.

'차라리…… 400억을 다 다이아로 바꾼 다음 아르데니아에 짱 박힐까?'

아르데니아에 들어가면 현실의 시간은 멈춘다. 물론 대우주의 시간이 다 멈출 리는 없으니 내 소우주의 시간이 무한하게 가속된다는 말이 더 정확하겠지.

즉.

'아르데니아에 들어가 나오지 않으면 리벤지 서비스 종료를 걱정할 필요가 없어.'

내가 아르데니아에서 20년을 살았을 적에도 지구의 시간은 전혀 흐르지 않았다. 그것은 아마 100년이 지나도 마찬가지일 것이다.

그리고 400억을 가지고 100년의 시간이 흐른다면. 어쩌면 나는 대륙을 통일하고 초월의 경지에 이를지도 모른다.

그리고 그 후에 지구로 돌아와서.

"돌아와서……."

거기서 생각이 멈춘다. 초월자가 되어서 지구로 돌아와 뭘 어쩐단 말인가?

34지구는 초월자라도 법을 어기면 경찰이 잡아가는 마경.

일단 초월자만 되면 행성 전체를 지배하고 신으로 숭상받는 하위 문명과는 차원이 다른 곳이다.

무엇보다 스카이 소프트의 대표 샤이닝 역시 초월자가 아닌가? 지금 이 상황은 돈으로 해결해야지 무력으로 뭘 어찌할 수 없다.

'게다가 난 이제 촉망받는 배우이자 고위 능력자야. 요번 영화나 백과사전 같은 한탕이 없더라도 10억이 연봉쯤은 유지할 수 있다.'

그렇다. 마냥 지구를 버리고 처박히는 것도 아까운 일이다.

'그래! 그까짓 400억이 아무리 많은 돈이라도 나라면! 나라면…….'

거기까지 진행된 생각이 또 멈춘다.

'시발. 40년이나 걸리네.'

역시 400억은 너무 큰돈이었다.

엘리베이터 문이 열리자 기다리고 있던 직원이 깍듯한 인사를 건넨다.

"어서 오십시오. 킬리언스님. 자리로 안내해 드리겠습니다."

바통터치한 직원의 안내에 따라 자리로 이동하자 먼저 앉아 있던 성재가 손을 들어 날 반긴다.

"재연아!"

녀석을 훔쳐보던 여직원들이 수군거리는 소리가 들린다.

[어머. 둘이 친한가 봐요.]

[그런데 하는 게임은 좀 깬다. 아저씨들이나 하는 게임이라던데.]

[돈 많으면 할 수 있죠! 못할 건 또 뭐예요?]

[하긴. 아…… 성재 님 너무 잘생겼다.]

민첩 스텟에는 별로 투자하지도 않았는데 컬렉션 보상만으로도 쓸데없이 예민하다.

"너도 왔네."

"당연히 왔지. 리벤지가 문 닫냐 마냐의 기로인데."

그의 말대로 간담회에 모인 유저들의 분위기가 뒤숭숭하다. 그들 역시 스카이 소프트의 대표인 샤이닝의 인터뷰를 봤기 때문일 것이다.

"……최악은 그가 진실의 선언을 했다는 겁니다."

"손해를 보더라도 목표를 이루려 들 텐데……."

"아니, 멀쩡히 잘 굴러 가는 게임을 지 맘에 안 든다고 서비스 종료라니요. 이거 정의신한테 걸리는 것 아닙니까?"

"그래도 주식은 올라서 이득이지요."

혼란스러워하는 사람도, 화를 내는 사람도, 이 상황을 기꺼워하는 사람도 있다.

↳너와나의 : 아! 미리 사 뒀어야 하는데! 진짜 미친 듯이 오르네.

↳대주주가될 거야 : 2500만 가즈아!

↳지혜투자 : 아 이거 더 오르는 건데 파는 사람이 없네.

↳나는나인걸 : 진짜 스카이가 네메시스 먹나? 진짜로?

↳대주주가될 거야 : 모르겠고 가즈아! 가즈아!

주식판 역시 이글이글 타오르고 있다.

진실신과 정의신의 영향으로 인해 거짓 정보를 이용한 사기나 작전 등이 존재하지 않는 34지구에서 주식이 이 정도로 요동치는 이벤트는 결코 흔치 않다.

하물며 그 대상이 작은 중소기업도 아니고 대기업이라면야.

"안녕하세요. 네메시스의 대표 배사랑입니다."

그때 배사랑 대표가 모습을 드러낸다.

작년에 보았던 활기와 자신감이 가득하던 모습은 찾아볼 수 없는, 피로와 분노에 찌든 얼굴.

그녀는 형형히 빛나는 눈으로 수많은 사람 앞에 섰다.

"네메시스는 지금 괜찮은 겁니까?"

"스카이 소프트에서 지분을 25%나 차지했다고 하던데요!"

"리벤지 서비스는 끝인가요?"

양복을 입은 사내들이 질문한다.

그들은 유저이기 이전에 사업가인 사람들. 모호한 말로 설득할 수 있는 상대가 아니다.

"당연히 괜찮습니다. 리벤지는 여전히 매출 1위의 게임이고 우로보로스로부터 특허를 받은 세컨드 라이프의 개발사입니다!"

사랑은 차분한 태도로 유저들의 질문에 대답했다.

유저 간담회가 아니라 청문회장을 연상케 하는 날 선 질문과 대답.

놀랍게도 사랑은 잘 대처하고 있었다.

'하긴 논리적으로는 빈틈이 없지. 스카이 소프트가 아무리 커도 네메시스를 먹는 건 말이 안 된다.'

네메시스가 널리고 널린 중소기업도 아니고 매출 1위의 게임을 개발한 대기업. 부채가 과하게 많은 것도 아닌데 적대적 M&A가 상식적으로 말이나 되는 일인가?

'그러나 문제는…… 이미 상황이 충분히 상식적이지 못하다는 거야.'

매출 1위의 리벤지를 가지고 세상이 놀랄 기술을 발명한 네메시스의 주식이 추락하던 것부터가 말이 되지 않는 일이었다.

나뿐이 아니라 많은 사람이 네메시스 소프트의 상황이 뭔가 정상적이지 않다는 걸 깨닫고 있었다.

"이건 정말 말이 안 돼. 설마 게임마스터께 밉보이기라도 한 건가? 과도한 과금 정책 때문에?"

"말도 안 돼. 게임마스터께서 이런 하찮은 일에 관심을 보일 리 없지 않나?"

"이건 특급 기밀인데 말이야. 초월자들 사이에서……."

수근거리는 사람들.

나는 섬뜩함을 느꼈다.

'아, 이거 정말…… 분위기가 심상치 않군.'

성재 역시 비슷한 느낌을 받은 듯 불안한 표정으로 소근거린다.

"와. 이거 쎄한데. 리벤지 진짜 문 닫는 것 아니겠지?"

사랑은 적극적이고 차분한 태도로 유저이자 주주인 존재들을 설득하려 들었지만 그런 그녀의 노력에도 사람들의 술렁임은 사그라지지 않는다.

논리에 빈틈이 없고, 그 모든 게 진실임에도 사람들을 설득할 수가 없다.

"잘 부탁드립니다."

깊이 고개를 숙이는 사랑의 모습을 마지막으로 호텔을 나선다.

성재가 배우들끼리 모이는 크리스마스 파티가 있다고 꼬드겼지만 내게는 선약이 있다.

"이것으로! 제53회! 스카이 소프트의 유저--! 간담회를--! 시작--! 하겠습니다---!"

우렁찬 사회자의 포효와 함께 축포가 터진다.

콰콰쾅!

"와아아아!"

스카이 소프트가 통째로 빌린 놀이공원이 십만 명도 넘을 듯한 유저들로 바글바글하다.

실제로 이 장소에 찾아오지 못했더라도 접속기를 통해 연결된 숫자는 그 5배는 된다고 한다.

"와…… 정말 분위기가 사뭇 다르네."

네메시스 소프트의 유저 간담회는 아무나 참가할 수 없다. 충분히 과금한 VVIP만이 초대장을 받아 찾아오고 호화로운 호텔에서 막대한 선물과 서비스를 받는 것.

그러나 스카이 소프트의 유저 간담회는 다르다.

셀 수 없이 많은 유저들이 스카이 소프트에서 지금까지 나왔던 게임들을 체험해 보거나 스카이 소프트의 역사를 주제로 한 퀴즈쇼에 참가했다.

대전 게임으로 우승자를 뽑기도 하고 새로 나올 게임들을 시연하기도 한다.

놀이기구는 놀이기구대로 돌아가는 중.

사람들은 하하호호 웃으며 즐겁게 놀았다.

[모두 즐길 준비됐나---!]

"아, 초대 가수도 있네."

놀이공원 한편에 마련된 무대에 나조차 얼굴을 알 정도로 유명한 가수가 나와 노래를 부르고 있다.

어린 왕자란 별명을 지닌 가수였는데, 귀여운 별명과 달리 100세를 넘긴 어르신이다.

[이미 지친 마음~ 다잡을 수 없어~]

쩌렁쩌렁하게 노래를 부른다.

과연 경력이나 명성만큼 훌륭한 가창력과 능력자들의 마음을 진탕시키는 영파(靈波).

노래를 부르다 흥이 올랐는지 그가 마이크를 내민다.

[자, 다 같이!]

"흐으으으응~흐응~"

"괜찮~~ 흐응~~"

"너무~~~흐으으응~"

멀뚱히 앉아서 말을 뭉그러트리는 관객들의 반응에 어린 왕자의 얼굴이 굳는다.

[……아니, 너네 내 노래 몰라?]

"이제는~ 흐으으응~"

"아무리~~ 흐으으응~"

사방에서 허밍만 난무한다. 워낙 유명한 노래라 들어는 봤는데 가사를 모르는 것이다.

당연하다.

이곳에 모인 이들은 저 가수를 좋아해 모인 이들이 아니라 진성 게임 마니아들.

아무리 유명한 곡이어도 잘 모른다.

딱.

가수도 관객도 서로 어색하던 그때, 불현듯 놀이공원이 어두워진다.

그리고.

[LOST]

커다란 글자가 놀이공원 중앙에 떠오른다.

[World]

"와아아아아!"

"드이어! 드디어!"

"샤이닝 형 사랑해!"

어린 왕자의 노래에는 시큰둥하던, 어르신이 애쓰는 모습이 미안해서 허밍이라도 해 주던 착한 게이머들이 단번에 폭발한다.

천지를 울리는 함성. 발 구름에 울리는 땅.

열광하는 그들의 모습에 무대 위의 어린 왕자가 허탈한 표정을 지었다.

"하, 그렇게 애써도 일어나지도 않더니…… 그래! 뭐 돈 받았으면 된 거지! 스카이 소프트 만세!"

"스카이 소프트 만세!"

"와아아!"

열광하는 사람들.

나는 그런 사람들 속에서 가만히 서 있었다.

'그렇군. 이건…… 못 이기는 싸움이다.'

분명 리벤지는 전 세계 매출 1위에 빛나는 게임.

그러나…… 플레이어의 숫자나 인지도, 평판 등은 거기에 미치지 못한다.

아니, 솔직히 말해 미치지 못하는 정도가 아니라 아주 안 좋다.

'농담 아니고. 이 정도면 스카이 소프트에서 비겁한, 정의롭지 못한 짓을 해도 판정은 반대로 뜰지 모를 정도다.'

스카이 소프트가 법에 어긋나는 수를 써 네메시스를 공격한다 해도 많은 이들이 '사악한 돈벌레들을 향한 참교육'이라고 인식하는 것이 가능할 정도의 차이.

결국, 나는 결심했다.

"네메시스 소프트에 오신 걸 환영합니다. 무슨 일로 오셨나요?"

"주식 판매 건입니다. 대표님을 만날 수 있을까요?"

"주식이라면 얼마나……."

"2,000주 정도입니다."

"에, 흠. 말씀 올려 보겠습니다."

평상시라면 어림도 없었을 일이다.

주식이 2천 주건 2만 주건 약속도 없이 어떻게 네메시스의 대표를 만난단 말인가?

그러나 지금 네메시스는 100주의 주식도 소중한 풍전등화의 상황.

나는 곧 네메시스의 대표, 배사랑을 만날 수 있었다.

"전에 뵈었던 분이군요. 오랜만이에요. 한재연 님. 못 본 사이에 아주 유명한 배우가 되셨던데요?"

피곤해 보이는 얼굴로 내게 인사한다.

나는 단도직입적으로 말했다.

"제가 가진 주식 전부를 네메시스에 판매하겠습니다."

"감사한 말씀이에요. 다만 저희가 자금의 흐름이 좋지 않아서 대금을 치르는 데 시간이……."

"돈은 필요 없습니다."

"……네?"

사랑의 얼굴에 의혹이 깃들었다가, 이내 경계심이 깃든다. 무슨 생각을 하는 것인지 이내 그녀의 눈동자 깊은

곳에서 혐오감까지 맴돈다.

"고객님이 가진 주식을 돈으로 환산하면…… 400억도 넘습니다. 그마저도 더 오를 가능성이 있고요. 그런데 그걸 포기하고…… 다른 걸 요구하겠다는 건가요?"

친절하던 미소가 사라지고 그 얼굴에 참담함이 깃든다.

그런 그녀를 향해 말했다.

"네, 다이아로 주십시오."

"어떻게 그런 요구…… 네? 뭐라고요?"

잠시 내 말이 이해가 안 된 듯 멍청한 표정을 짓고 있는 사랑에게 말한다.

"다이아로 달라고요. 제 주식. 다이아에 팔겠습니다."

"네에에?"

혐오와 경계심이 사라지고 거기에 황당함이 깃들었다. 쓰레기를 보던 눈이 미친놈을 보는 눈으로 변한다.

그러나 그러거나 말거나 그녀에게 말했다.

"대신 10배."

할 수 있는 데까지 하고, 안 되면 아르데니아로 튄다.

이것이, 나의 결론이었다.

"아, 아니…… 그런, 말도 안 되는……."

정장이 잘 어울리는 이지적인 외모의 미녀가 마치 아이처럼 허둥거렸다. 당연한 일이다.

'말이 안 되는 거래니까.'

게임 속 재화는 결국 데이터 쪼가리에 불과하다. 물론 그 데이터 쪼가리를 돈 주고 사는 게 과금 게임의 본질이겠지만, 그것도 상황 나름이지 게임사가 위기에 처한, 특히나 지금처럼 서비스가 종료될지도 모를 위기의 순간에 경영권 분쟁 중인 주식을 다이아로 파는 건 정상이 아니다.

나처럼 게임 속 능력이 현실에 적용되는 아주 예외적인 경우에나 있을 일이리라.

"가능합니까?"

"아니, 진짜 그걸로 괜찮아요? 400억치를? 서비스가 종료되면 데이터 쪼가리가 되어 버릴 텐데."

"네메시스의 대표답지 않은 말씀을 하시네요."

막말로 그 데이터 쪼가리로 천금을 벌어들이던 게 바로 네메시스 아니던가?

과연 내 말을 이해한 사랑은 표정을 수습하고 진지한 태도로 답했다.

"평소였다면…… 솔깃해도 거절했을 거예요. 400억의 10배면 4000억인데 이 정도 다이아면 리벤지 속 경제에 타격을 줄 수 있거든요. 유저들 사이에서 안 좋은 여론이 일어났을 겁니다."

"지금은 가능하다는 말이군요."

"지금은…… 네. 가능하겠군요. 서비스 종료에 대한 두려움을 리벤지 유저들이 공유하고 있는 상황이니 여론도 크게 악화하지 않겠지요. 다만 즉시는 어려워요."

사랑의 말에 되묻는다.

“어째서죠?”

“사용자 계약에 충돌하니까요. 과금을 10배 가치로 해 드리는 건 형평성에 어긋나는 일이니 진실신은 물론이고 정의신까지 인식할 거예요. 이걸 방지하기 위해서는 먼저 이런 제안이 있었고, 제가 그 조건을 받아들이기로 했다는 걸 공지해야 합니다. 더불어 이 조건을 다른 유저들도 선택할 수 있게 만들어야 겠지요.”

결론은 그냥 우리끼리 쑥덕거려 할 수 있는 거래가 아니라는 것.

“흠. 제가 다이아를 삭제한다고 하면 더 받을 수도 있을까요?”

“…….”

사랑이 어이없는 표정을 짓는다. [진짜]를 보는 표정. 그녀는 잠시 내 얼굴을 보다가 이내 고개를 절레절레 흔들었다.

“그런 걸 조건으로 걸 수는 없어요. 온갖 일을 할 수 있는 다이아로 아이템을 사 삭제하는 건 재연 님의 선택일 뿐이니까요. 삭제 전용 아이템을 드렸던 때와는 상황이 다르지요.”

“흠, 그리고.”

“또 있으신가요?”

“400억짜리 과금인데 할 만큼 해야죠.”

그렇게 말하곤 미리 생각하던 제안을 한다.

“캐시 상점에 10억 다이아 상자를 추가해 주세요. 패키지면 더 좋고요."

"패키지라니. 10억이나 되는 다이아 패키지면 부가 상품이 어마어마해야 할 텐데…… 아무리 리벤지라도 그런 상품을 만들 수는 없어요."

"안 되나요?"

"당연히 안 됩니다. 다른 유저들이 어떻게 생각하겠어요? 다이아 상자는…… 안 될 거 없지만 그럴 필요가 있나요? 구매 클릭이 번거로우신 거라면 재연 님 계정으로 다이아 쏴 드리겠습니다."

사랑의 말에 기겁한다.

큰일 날 소리다.

"안 됩니다. 그런 식으로 하면 주식 못 드려요."

"……어째서요?"

"상자로 주셔야 삭제할 수 있습니다."

"……."

다이아를 그냥 재화로 받으면 아르데니아로 가져가기 불편하다.

물론 필요한 캐시 아이템을 구매해 가져가는 방법도 있지만, 신화 성 업그레이드를 위해서는 아이템이 아니라 다이아 그 자체가 필요하다.

'그리고 이유가 하나 더 있기도 하지.'

그것은 바로 복구 신청.

그러나 그 이유를 여기에서 말할 수 없는 만큼 뻔뻔한

표정을 짓자, 사랑이 어쩔 수 없다는 듯 한숨 쉬었다.

"아니, 그, 하…… 좋아요. 추가해 보겠습니다."

10억 다이아 상자. 100다이아=1만 원이라는 걸 생각해 보면 1,000억 원짜리 아이템이다.

그야말로 전무후무한, 34지구의 게임사를 다시 쓸 만한 미친 과금 상품!!

"잘 부탁드립니다."

"하, 이게 대체…… 하……."

사랑은 여전히 혼란스러운 표정이었지만 일방적인 이득을 포기하지 못했다.

그리고 그날 저녁.

하나의 공지 사항과 함께 과금 서비스 하나가 추가되었다.

당연히 인터넷에서는 난리가 났다.

↳과금하는아씨 : 2,000주?? 400억치? 그걸 다이아로 교환했다고?

↳김초코 : 아니ㅋㅋㅋㅋㅋ 10억ㅋㅋㅋㅋㅋ 다이아 ㅋㅋㅋㅋ 상자 미쳤나ㅋㅋㅋㅋㅋㅋ

↳차노아 : 아니 2,000주라니. 400억 원 아니에요? 407억 원어치 주식을 망할지도 모를 게임의 데이터 쪼가리로 바꾸다니 419억이 얼마나 큰돈인지 모르시는 건가요? 424억이면 농담이 아니라 수급 기가스나 우주선도 살 텐데요.

↳흑우는과금과금울지요 : 왜 자꾸 숫자가 바뀌냐?

↳핫바디 : 주식이 오르고 있자너.

그러나 인터넷에 난리가 나건 말건 나는 만족했다.

만족할 수밖에 없었다.

[아이템 복구]

※사용자의 과실로 삭제하신 아이템은 한 달에 3회까지 복구할 수 있습니다.

대상 → [10억 다이아 상자]

[복구에 성공하였습니다.]

"……."

술에 취한 듯 머리가 알딸딸하다.

두 다리에 감각이 없다. 허공에 붕 뜬 듯하다.

돈이 복사가 되는데.

무려 1,000억씩 된다.

-조금은 검의 극의를 알겠다고 생각했을 때, 어느새 사람들은 나를 검의 왕이라 불렀다.

[검왕(영웅)]

1,000억짜리 아이템을 삭제해 천장에 걸린 겸 리벤지

에서 클래스 카드를 뽑았다. 결과는 꽝이었지만 전혀 실망스럽지 않다.

"로그인."

아르데니아로 넘어가 10억 다이아 상자를 옮긴다.

"로그아웃."

지구로 돌아와 리벤지에서 클래스 카드를 뽑는다.

이 과정을 한 번 더 반복한다.

-세계의 이치를 궁구하여 별을 헤아리나니.

-이제, 나는 법칙 그 자체가 되겠노라.

[스타 시커(전설)]

당첨이다. 9퍼센트의 확률. 예전에는 꿈에도 바라던 전설 클래스이지만 지금은 당연한 결과일 뿐이다.

[복구에 성공하였습니다.]

나는 원룸의 침대에 앉아 모니터에 표시되는 인벤토리의 모습을 보았다.

[10억 다이아 상자]x4

3개를 아르데니아로 보냈지만, 이번 달치의 복구로 수

는 줄지 않은 상황.

나는 그중 하나를 클릭했다.

[10억 다이아 상자를 사용하였습니다!]

[10억 다이아를 획득했습니다!]

1,000억 원어치의 다이아.

이것이 무엇을 뜻하는가?

그것은, 1억이 1,000개나 모여 있다는 뜻이다.

'천장을 1,000번 찍을 수 있다는 말이기도 하지.'

예전부터 입맛만 다시던 전설급 스킬을 노린다.

캐시 아이템, [여신의 보물 상자]의 가격으로 인해 한 번 시도하는 데 80만 원이나 들어가고 성공 확률은 5퍼센트에 불과한 스킬북 제작.

그러나 기댓값 1600만 원은 지금의 나에겐 '따위'에 불과하다.

쉐도우 트와이스(전설)(패시브)를 획득했습니다!

호신강기(전설)(패시브)를 획득했습니다!

레전더리 오라(전설)(패시브)를 획득했습니다!

이모탈 소울(전설)(패시브)을 획득했습니다!

리셋 무브먼트(전설)(패시브)를 획득……

전설 스킬을 주르륵 얻는다.

'마음 같아서는 신화급까지 노리고 싶지만, 시간이 필요해.'

신화급 클래스, 수호령, 펫 등이 전설 등급 4장을 합성해 만들어진다면, 신화급 스킬은 익히고 있는 전설급 스킬을 승급시켜 완성된다.

승급 재료 중 가장 구하기 어려운 재료들은 거래할 수 있지만, 오히려 구하기 쉬운 재료들이 거래 불가라 직접 아르데니아에서 구해야 했다.

[임페리얼 나이트(영웅)를 획득하였습니다.]

패키지란 패키지는 몽땅 구매했다.

[검성(전설)을 획득했습니다!]

클래스, 수호령, 펫 역시 왕창 구해 두었다.

[엘리멘탈리스트(영웅)를 획득하였습니다.]

그뿐이 아니다.

나는 거래소를 열어 장비들을 사들였다. 이미 +9강이 완료되어 있는 고급, 희귀, 영웅급 장비들.

때가 때여서인지 평소에 거래소에 잘 올라오지 않는 전설급 장비도 다수 있었는데, 나는 그것들 역시 모두 구매해 버렸다.

컬렉션을 위함이었다.

'어디 보자……. 결투사의 컬렉션도 완성이고, 대폭발 컬렉션도 이거면 되겠다.'

조건이 까다로워서, 혹은 매물이 상당해도 효율이 좋지 않아 미뤄 두고 있던 컬렉션을 모조리 완성한다.

하나 하나는 별 것 아닌 컬렉션들이지만, 그렇게 완성한 컬렉션을 대충 가늠 해 보니 신음이 절로 나올 정도다.

'와, 이거 다 더해지면 스텟 효과가…….'

정말 농담이 아니다.

'장비만 잘 맞추면 근력 수치는 900포인트를 넘길 수 있겠는데?'

그러나 전설급 근력 장비를 맞추는 대신 스텟 총합이 높아지는 전설급 장비들을 구했다. 스텟은 900부터 [신화급]으로 분류되기에 스텟 돌파를 위해 많은 조건이 필요하기 때문이다.

'그래도 혹시 모르니 스텟 초기화 포션도 구매해 두고…….'

아르데니아로 로그인해 컬렉션을 위한 장비 모두를 옮겨 둔 나는 리벤지에서 클래스 뽑기를 진행했다.

[하이 워리어(희귀)를 획득하였습니다.]

"아, 역시 거래서 구매로는 천장이 적용되지 않는구나."

아쉬웠지만 어찌 생각하면 당연한 일이었기에 실망하지 않고 캐시템들을 계속해서 구매했다.

[캐노니어(영웅)를 획득하였습니다.]

또 영웅급이 나왔다.

"역시 신화는 잘 안 나오네."

하기야 1퍼센트가 그리 높은 확률은 아니니 당연한 상황. 그러나 시도 횟수가 100번, 200번 300번을 넘어서면…….

쿠구궁…….

-마침내 초월의 경지에 올라 인간의 몸으로 하늘에 오르나니.

-신이여. 용서하소서.

점점 더 강해지는 빛과 함께 먹구름이 모조리 사라진다.

[모두 칭송하십시오. 21번째 신화가 지금 이 자리에 탄생하였습니다.]

[그의 이름은 킬리언스.]

[지금 이 시각부로 24시간 동안 모든 사냥터에 경험치 100퍼센트 버프가 주어집니다.]

[다시 한번 안내해 드립니다. 21번째 신화가 지금 이 자리에 탄생하였습니다.]

이제는 제법 익숙하게 느껴지는 메시지와 함께 오색으로 빛나는 검이 내 앞에 내려 꽂힌다. 나는 망설임 없이 그것을 뽑았다.

[나는 한 줌 재에서 다시 태어나리니.]

[이는 영원불멸의 증명이요, 제국의 수호자이니라.]

[피닉스 나이트(신화)]

컬렉션 완성!

[불사조의 기사(피닉스 나이트) 올 스텟 +10]

꽝이었다. 신화가 나왔다고 끝이 아니기 때문. 하기야 리벤지에 존재하는 신화 클래스가 18개나 되는 상황이니 당연한 결과라 할 수 있겠지.

'그러나 상관없는 일이다.'

왜냐하면 계속 긁으면 그만이니까.

쿠구궁……!

오색의 빛이 눈앞에 떨어져 내린다. 이번엔 지팡이었다.

[신이여. 신이여. 신이시여.]

[이 부족한 지팡이를 험하게 다루어 주십시오. 이 불쌍한 자들을 사랑해 주십시오.]

[세인트(신화)]

컬렉션 완성!

[구원의 성자(세인트) 올 스텟 +10]

채팅창에서는 난리가 났다.

↳**파푸아 : 아니 또 킬리언스야? 신화를 몇 개나 뽑는 거야??**

↳**뉴비조아 : 화점 보유자도 아닌데 이게 말이 됨? 지금 얼마가 날아가고 있는 거?**

↳**다크엔젤 : 공지사항에 올라왔던 그 사람인가? 그 4,000억?**

↳**뉴비조아 : 400억 원어치 주식이랬지…… 이건 현실 돈 치트 아니냐? 불공평한 거 아냐?**

↳**다크엔젤 : 너도 주식 400억치랑 교환하면 되잖아.**

↳**뉴비조아 : 미친놈도 아니고 이 시국에 그런 돈을 어**

뚫게 박아?

↳파푸아 : 이게 현실이라고? 이게 현실이라고? 이게 현실이라고?

끝없이 돈을 썼다.

끝없이 클래스를 뽑는다.

성공은 예정되어 있었다.

[일검이 천지를 갈랐을 때.]

[나는 마침내 검 한 자루로 신화를 이루어 냈음을 알았다.]

[검신(신화)]

채팅창은 또 난리가 났다.

↳기립 : 신화 카드…… 중복!

↳포세이돈 : 아, 내가 너무 오래 살았나 보다. 별꼴을 다 본다…….

↳알릭스 : 대체 어떤 신화 뽑으려고 이러는 거야?

그러나 사람들의 생각과 다르게 나는 이미 목적을 이뤘다.

"……드디어."

[검신(劍神)(신화)]

근력+120 민첩+200 체력+120 생명력+80 마나+80

공격 속도 100퍼센트 증가.

크리티컬 확률 10퍼센트 증가.

[초월경(超越境)]

[고수의 간합(間合)]

[천검(天劍)]

[신검합일(身劍合一)]

[천지를 가르는 검]

아주 오래전 보고 탄성을 내질렀던, 우연한 행운으로 얻고 그게 현실이 아닌 게임 속이라는 사실에 속을 태웠던 소드맨 클래스의 궁극.

"확인은…… 나중에."

나는 하던 작업을 이어 나갔다.

그리고.

쿠구궁…….

-남방의 수호신이여. 불의 화신이여.

-우리를 지키고 악을 불태우소서.

[주작(朱雀)(신화)]

디스플레이 속 하늘이 갈라지고 그 한가운데에서 붉게

빛나는 새가 땅으로 내려선다. 어느새 바글바글 가득 찬 도시의 모든 플레이어가 그 모습을 보고 있다.

여기저기에서 비명 섞인 채팅이 튀어나온다.

↳고인물 : 와. 미친…… 이제 펫 뽑는다.

↳군필마도사 : 아니 진짜 당일치기로 4,000억 다 쓰려고??

↳풍림화살 : 나는 그만 정신을 잃고 말았습니다.

↳사과냥이폰 : (기절!)

사람들이 떠들어 대거나 말거나.

과금은…… 아직 끝나지 않았다.

* * *

배사랑은 잠도 못 자고 매일매일 바쁘게 움직였다. 최근 들어 할 필요가 없던 아쉬운 소리를 만나는 사람마다 해야 하고 회사의 자산이나 수집품을 처분하여 미친 듯이 상승한 가격의 주식을 매입해야 했다.

거주하던 최고급 저택도 팔아 버려 회사에서 먹고 자고 하는 상황.

하지만 그것으로도 부족해, 그녀는 그녀의 남은 자산 중 가장 가치 있는 물건을 처분하고 있었다.

"아…… 정말 감동일세. 설마 이 녀석을 구할 수 있을 거라고는 생각도 못 했는데."

환웅 컴퍼니의 대표.

대정령사이자 금속성 오오라 능력자인 아다만트는 떨리는 표정으로 흑색 장갑을 쓰다듬었다.

그 모습을 내려다보던 강철의 거인이 고개를 돌려 배사랑을 바라보았다.

[내가 이 사람에게 팔리는 건가?]

"미안. 미안해 문수……."

대우주 최신예 병기.

강철의 거인 기가스는 다섯 단계로 구분된다.

신(神). 별(星). 사람(人). 짐승(獸). 기계(器).

그리고 지금 여기에 서 있는 것은 그중 세 번째 등급인 인급이다.

말이 세 번째 등급이지 기가스 중에서 0.001% 안쪽에 들어가는 명품.

인급 기가스, [박문수]이다.

[그렇게 미안해할 필요는 없다. 네가 선택한 것이 전사의 길이 아니라 사업가의 길이었을 뿐이지.]

"하하하! 너무 걱정할 필요 없소! 내가 정말 아끼고 사랑하고 항상 최상의 상태로 관리할 테니까!"

자신의 부족을 이끌고 우주를 떠돌다 34지구에 안착한 드워프 초월자는 함박웃음을 지었다. 명색에 기가스 제

조업을 하면서 인급 기가스 하나를 가지지 못했던 그였기에 날아갈 듯 기분이 좋은 상태다.

5조 7천억 원의 돈 따위 전혀 아깝지 않다.

인급 이상의 기가스는 돈 주고도 못 사는 물건이기 때문이다.

하물며 박문수 같은 네임드 기가스라면 더더욱!

“좋아! 그럼 가 볼까! 문수! 내가 타도 되겠나?”

[초월자씩이나 되니 자격은 차고 넘치지.]

“하하하. 고맙네!”

박문수의 가슴팍이 열리고 아다만트가 조종석에 탑승한다.

조종권이 넘어가기 전.

문수가 사랑을 돌아보았다.

[내가 무슨 나쁜 일을 당하는 것도 아니니. 너무 미안해하지 마라. 물론, 털북숭이 드워프보다야 늘씬한 미녀를 태우는 게 보람차겠지만…….]

“아, 너무하는구먼! 남녀 차별하기 있나!?”

아다만트가 투덜거렸지만 무시하고 말을 잇는다.

[하고 싶은 것을 해라. 이뤄 내고 싶은 걸 이뤄 내. 그 편이 네게 더 어울린다.]

“……고마워, 문수.”

[그럼.]

우우웅!

박문수의 몸에 역장(力場)이 둘러쳐지고 수백 톤이 넘는 육중한 몸이 중력을 무시한 채 떠오른다.

쿠앙!

굉음과 함께 박문수가 하늘을 가로지른다. 마치 하늘을 가로지르는 유성처럼, 그 모습은 순식간에 사라졌다.

"……하."

사랑은 멍한 표정으로 그 모습을 바라보았다. 그녀에게 박문수는 단순한 기가스가 아니었다. 오랜 시간을 함께 한 친구.

그런데 이 순간 그 친구를 판 것이다.

아니, 팔아 버린 시점에서 이 관계를 친구라 할 수 있을까.

"이렇게까지 해야 하다니……."

맘 같아서는 이러고 싶지 않았다. 솔직히 다 때려치우고 싶을 정도. 그러나 그럴 수 없다. 여기에서 머뭇거리다가는 그녀가 일궈 온 기업이 통째로 넘어갈 수도 있었다.

"대표님."

그때 그녀의 비서 칼튼이 다가왔다.

"무슨 일이야?"

"과금 요청들입니다."

그의 말에 사랑의 얼굴에 의문이 떠오른다. 과금 요청을 일일이 대표인 그녀에게 보고할 이유가 없었기 때문.

그런 그녀의 반응을 이해하는 듯 칼튼이 어색하게 웃었다.

"새로운 과금 시스템입니다. 공지 내용처럼 10배의 다이아로 바꾸고 싶다는군요."

그렇다면 당연히 사랑에게 보고해야 할 문제다. 들어오는 것은 단순 현금이 아닌 주식에 관련된 문제이기 때문이다.

다만 이제는 다른 게 문제다.

"그런 사람이…… 또 있다고?"

"또 있는 정도가 아닙니다."

칼튼이 손짓하자 윙 하고 날아온 패드가 그녀 앞에서 펼쳐진다.

그녀의 앞에 유저 목록이 떴다.

"열다섯 명이나 되다니……."

어이없는 일이다. 이 불안정한 시국에 천금의 가치를 지닌 주식을 현금으로 바꿀 수도 없는 인게임 재화로 바꾼다는 선택을 하는 사람이 한 명인 것도 말이 안 되는데 다수라니 이게 현실이란 말인가?

그러나 그것이 끝도 아니었다. 이튿날, 사랑은 칼튼의 보고를 받았다.

"대표님. 과금 요청입니다."

"……."

사랑은 잠시 칼튼을 바라보다 사무실 한편에 띄워 놓은

디스플레이를 바라보았다.

[모두 칭송하십시오. 31번째 신화가 지금 이 자리에 탄생하였습니다.]

[그의 이름은 핫바디.]

[중첩 발생!]

[지금 이 시각부로 24시간 동안 모든 사냥터에 경험치 700퍼센트 버프가 주어집니다.]

[다시 한번 안내해 드립니다. 31번째 신화가 지금 이 자리에 탄생하였습니다.]

자신이 소유한 주식을 다이아로 바꾸는 유저의 수가 점점 늘어났다. 대부분 2~3주 수준이었지만 개중에는 100주 수준도 있었다.

사랑은 끝없이 터져 나오는 신화 클래스를 보며 그 원동력을 깨달았다.

'경쟁심이다.'

그것이야말로 리벤지의 과금 시스템의 근간이다. 아무 가치도 없는 데이터 쪼가리를 천금을 들여 구매하게 만드는 원동력.

남보다 강한 존재이고 싶은, 더욱 뛰어나고 우러름 받는 존재가 되고 싶은 욕망.

사랑은 어마어마한 과금으로 인해 리벤지의 경제가 무

너질까 걱정했지만 막상 그렇게 되지도 않았다. 그러기는커녕 리벤지가 서비스 종료될지도 모른다는 소문에 엉망이 되었던 거래소 물가가 시장에 풀린 다이아에 안정화되기까지 했다.

게임에 돈이 풀리니 떠나갔던 유저들까지 돌아오고 넷상에서도 연신 화제가 되니 위태위태하던 회사 분위기도 점점 좋아진다.

"신화 클래스의 고급화가 이런 식으로 깨질 거라고는 상상도 한 적이 없는데……."

농담이 아니라 이 기세라면 신화 클래스로 백대고수 같은 게 생길지도 모를 정도.

물론 나쁘다는 건 아니었다. 상상도 못 해서 말문이 막힐 정도의 호재!

그리고 그녀는 이 호재를 불러온 게 누구인지 알고 있었다.

"한재연……."

그녀는 유저 간담회에서 그를 만났던 날을 떠올렸다.

게임신의 축복과 세계 제일의 부자인 부친의 관리로 인해 극한까지 개방된 그녀의 영성(靈性)은 일반적인 수준이 아니다. 그녀가 만났던 신선들은 그녀를 가리켜 [이쯤되면 영물이나 어린 신수라고 해도 과언이 아니구나!]라며 감탄했을 정도.

그녀는 사람을 보면, 외면만이 아닌 그 안의 정신까지

볼 수 있다.

상대의 마음을 읽어 내는 사특한 능력을 말하는 게 아니다. 그녀는 강력한 직감으로 상대의 본질, 그 정신, 영혼의 모습을 볼 수 있는 것.

그리고 그런 그녀의 눈에 비친 재연의 모습은 결코 평범하지 않았다.

'그래. 그래서 그 바쁜 와중에 그의 앞에 앉았어.'

그를 처음 보았을 때.

사람이 아니라 철상(鐵像)이 앉아 있는 줄 알았다.

그만큼이나 그의 영혼과 정신은 단단했다. 그저 신나서 밥을 먹고 있음에도 그녀는 그에게 특별한 아우라를 느꼈다.

철로 태어나.

지옥같은 담금질을 거쳐 완성된 영혼과 정신.

그야말로 철인(鐵人)을 형상화한 듯한 모습이 너무나도 특별해 눈이 갈 수밖에 없었다.

'대체 어떤 인생을 살아온 걸지 궁금했지.'

아주 강인하고, 단호하고 카리스마 넘치는 성격일 거라고 생각했다.

그러나 현실은 달랐다.

"아, 아이템을 삭제하면 쾌감이 느껴져서요……."

"하."

다시 생각해 봐도 미친 소리다. 수련의 부작용이라니 이해하지 못할 수준도 아니지만, 그를 처음 봤을 때의 충격은 그 미친 소리에 사그라졌다.

그것으로 그와의 연은 끝이었다.

한재연이 얼마 전 그녀를 찾아오기 전까지는 그랬다.

"돈은 필요 없습니다."

사실을 말하자면.

재연이 오기 전에도 돈이 필요 없다던 사람이 있었다. 2만 주도 넘는 주식을 쥔 주주이자 화점을 보유한 고객이기도 한 대기업의 총수.

그는 적대적 M&A가 진행될 때 자신이 백기사가 되어 네메시스 소프트를 지원하겠다고 말했다. 마찬가지로 돈이나 다른 보상은 필요 없다고 했다.

그러나 바라는 게 전혀 없는 것은 아니었다. 그는 그녀와 더 '깊은' 관계가 되길 원한다고 했다.

그것이 뜻하는 바는 너무도 명확.

그녀는 그 제안을 단호히 끊어 냈다.

'아, 지금 돌아보니…… 재연 씨가 내 생각을 짐작하진 않았겠지?'

표정 관리를 하지 못했다. 평소라면 그렇지 않았을 테

지만 워낙 몰려 있는 상황이었기 때문이다.

재연이 돈이 필요 없다고 말했을 때.

1초 정도 '괜찮은데?'라고 생각하는 자신이 있었다.

그렇게 생각하는 자신의 모습이 너무나 혐오스러워서 감정을 숨기지 못했다. 차라리 그가 자연스럽게 접근해 가까운 사이가 되었다면 모르겠지만 돈을 통한 요구는 용납할 수 없다고 생각했다.

그러나 재연은 그녀의 몸에도, 배경에도 아무 관심이 없었다.

"네, 다이아로 주십시오."

"대신 10배. 콜?"

'아, 너무 쪽팔려…….'

절로 얼굴이 달아오른다.

그러나 다시 생각해 보면 또 빡치기도 했다.

"하, 그 미친놈 진짜."

아무리 그래도 그렇지 그 상황에서 다이아 10배 콜이 웬 말인가? 그녀도 산전수전 다 겪은 몸으로 차크라 수련자 중 미친놈이 많다는 사실을 잘 알고 있었지만.

아무리 그래도 그렇지 이렇게 희한한 방식으로 미친놈은 처음 보았다. 아마 대우주에도 흔치 않으리라.

그가 출연한 영화를 보고 멋지다고, 더 알고 싶은 사람이라고 생각했는데……

"네? 미치다니요?"

"아니, 아니야. 다음 일정은 어떻게 되지?"

"네. 다음 일정은……."

칼튼의 주의를 돌린 후 사랑은 문득 생각했다.

'그 미친놈은 지금 뭐 하고 있을까?'

* * *

"히히."

웃음이 절로 나온다.

"희희희."

점점 그 웃음이 괴상해진다. 그러나 어쩔 수 없는 일이었다. 마침내 전설 클래스, 수호령. 펫 모두를 뽑았기 때문이다.

심지어 그것들을 뽑기 위해 돈을 왕창 썼을 거라는 다른 플레이어들의 짐작과 달리 사실 클래스, 수호령, 펫을 뽑는 데에는 거의 소모가 없었다.

전부 시스템, 그러니까 천장을 이용한 뽑기였으니까.

'그리고 그렇게 삭제한 재화는 아르데니아에서 또 쓸 수 있지!'

남들은 삭제라고 인식하겠지만 나에겐 삭제가 아니다. 지금 쌓인 캐시 아이템이 너무 많아 아르데니아에서 클래스, 펫, 수호령을 내키는 대로 찍어 낼 수 있는 수준.

나는 정리해 놓은 뽑기 현황을 확인 후 고개를 끄덕였다.

"역시, 행운 아이템은 효과가 있다."

초반엔 별로 체감되지 않았지만, 표본이 무지막지한 수준으로 많아지자 결국 평균 이상의 확률이 인식된다.

'100장을 뽑으면…… 신화급 1.8장이 나온다.'

거의 2배에 가까운 확률.

지금도 이런데 행운을 더 올릴 수 있다면 어떨까? 물론 리벤지의 행운 장비는 오직 드랍률에만 영향을 주지만, 현실이 된 지금은 모를 일이다.

"이제 할 거 끝났지?"

클래스, 수호령, 펫.

스킬, 장비, 각종 포션과 음식.

귀환 주문서, 텔레포트 주문서, 강화 주문서.

행운 장비와 아이템.

그리고 컬렉션에 등록할 장비들까지.

"……좋아. 이 정도면 되겠다."

침대에 눕는다. 로그인할 시간.

"히히."

문득, 방정맞은 웃음이 터진다.

"히히히!"

그리고 멈추지 않는다!

"아, 진정 좀 해야지."

나는 웃음을 멈추고 침대에 누웠다. 오래 있을지도 모른다는 생각에 오늘 날짜와 지금 하는 일의 진행 상황에 대해서 정리한 메모를 머리맡에 두었다.

"로그인."

아르데니아의 시간대는 여전하다. 이런저런 일로 지구와 아르데니아를 왕복하긴 했지만, 시간으로 치면 몬스터들이 몰려온다는 보고를 받은 뒤 하루도 지나지 않은 시점.

창가에 서서 도시를 내려다보니 바쁘게 움직이는 사람들의 모습이 보인다.

"……준비는 부지런히 하고 있네."

간부들이 모든 병력을 소집하고 정해진 위치로 보내는 모습이 보인다. 화살이나 바위 등의 수성 물자들 역시 부지런히 성 위로 나르고 있다.

"어디 보자……."

나는 창가에서 눈을 돌리고 캐릭터 창을 띄웠다.

〈킬리언스〉, 〈킬리언스투〉, 〈킬리언스쓰리〉, 〈킬리언스포〉, ……〈킬리언스칠팔〉, 〈킬리언스칠구〉, 〈킬리언스팔공〉

문자 그대로 아무렇게나 만든 아이디의 캐릭터 80개.

나는 그중에서 킬리언스사사부터 킬리언스오이까지의 인벤토리를 털었다.

우르르! 좌라락!

최상급 천, 석재, 보석을 쏟아 낸다. 내가 지금 차지한 영역에서는 드랍이 안 돼서 지금까지 얻지 못했지만 이제는 상관없다.

드랍이 무슨 상관이겠는가? 돈 주고 사면 되는데!

"최고급 가죽하고 철은 이미 충분하고. 좋아, 가능하겠다."

나는 성주 메뉴를 켠 후 망설임 없이 건설을 시작했다.

〈기가스 체험관(영웅)의 건설을 시작합니다!〉

〈기가스 제작 공장(전설)의 건설을 시작합니다!〉

〈다윈-8(영웅)이 레일 건-16(전설)로 업그레이드를 시작합니다!〉

〈미티어 캐논(전설)이 건설을 시작합니다!〉

〈기가스 콜(영웅)을 기가스 콜(전설)로 업그레이드합니다!〉

그림의 떡이었던 건물들을 설치하자 굉음과 함께 도시가 흔들거렸다.

밖이 소란스러워졌지만 그리 엄청난 혼란이 벌어지지는 않았다. 이미 몇 번의 경험으로 내성이 있는 것.

하긴 한 방에 신화 성을 짓는 장면도 보았는데 이 정도가 뭐 그리 대단하겠는가?

'그나저나 수십억이 그냥 날아가네.'

예전이면 손이 떨릴 일이었지만 지금의 내게는 아무런 문제도 되지 않는다.

"총도 바꿔야겠다. 장전 문제가 있으니……."

나는 기본 상태인 기관총을 모조리 저격총으로 바꾸었다. 게임이 현실이 되면서 자동 장전이 안 되니 단발이라도 위력이 강하고 사거리가 긴 쪽이 유리하다.

수량도 1만 정 이상으로 늘렸다. 웬만한 적은 레일 건이나 미티어 캐논이 아니라 이 저격총 앞에서 정리될 것이다.

〈길드 타워(영웅)를 길드 타워(전설)로 업그레이드를 시작합니다!〉

〈길드 타워에 종합통제실(전설)의 설치를 시작합니다!〉

쿠구궁!

땅이 흔들린다. 길드성이 더더욱 높아지고 벽의 재질과 두께가 변하며 벌어지는 현상.

"크으!"

문득 올라오는 소름에 잠시 두 눈을 감았다.

"엄청나네, 진짜."

돈 쓰는 쾌감 너무 엄청나 위험하게 느껴질 정도다. 미친 가격 때문에 매일 손가락만 빨며 지켜보기만 했던 전설 건물들을 마구 설치하는 상황.

"……그나저나 너무 오버했나?"

다이아가 넘쳐 난다는 생각에 마구 짓고 업그레이드해 버렸다. 농담이 아니라 망령룡이 당장 날아오지 않는 이상 이 성을 침범하는 건 불가능한 일이겠지.

문제는.

"나는! 아직 과금의 10%도 하지 않았다!"

그렇다. 성 업그레이드는 과금의 극히 일부일 뿐! 원래 이런 게임에서 제일 중요한 것은 나 자신의 강화가 아니겠는가?

나는 잔뜩 꺼내 두었던 자재가 사라지며 널찍해진 집무실 중앙에 앉았다. 그리고 인벤토리를 열어 클래스 카드를 꺼냈다.

그리고 그대로 허공에 던졌다.

쿠르릉…….

콰릉!

먹구름이 몰려온다.

"아니, 이 이펙트가 여기에서도 일어나네."

기막혀 하면서도 내 앞에 꽂힌 오색의 검을 뽑는다.

–마침내 초월의 경지에 올라 인간의 몸으로 하늘에 오르나니.

–신이여. 용서하소서.

[모두 칭송하십시오. 첫 번째 신화가 지금 이 자리에 탄생하였습니다.]

[그의 이름은 한재연.]

[지금 이 시간부로 24시간 동안 모든 사냥터에 경험치 100퍼센트 버프가 주어집니다.]

[다시 한번 안내해 드립니다. 첫 번째 신화가 지금 이 자리에 탄생하였습니다.]

이어 개인 알람도 울린다.

컬렉션 완성!
천지를 가르는 검의 신(검신) 올 스텟+10

"후우……."

육신이 강화되는 게 느껴진다. 전설급 클래스보다도 격이 높은 600포인트의 스텟. 거기에 컬렉션 보상까지.

그러나 신화급 클래스의 강점은 고작 스텟이 다가 아니다.

검객(劍客) 트리가 신화급에 도달하며 추가된 특성과 고유 스킬이지.

[초월경(超越境)]
[신검합일(身劍合一)]

[천지를 가르는 검]

그중 신검합일의 효과는 다음과 같다.

[신검합일]

장비한 검의 공격력만큼 공격력이 추가로 증가한다. 장비한 검의 부가 효과 역시 추가로 적용된다. (일부 효과의 경우 적용되지 않는다.)

"와."

다시 봐도 어이가 없는 효과다. 현 리벤지 랭킹 1위인 검신(劍神) 마도지존이 죽을 고생을 해서라도 신화검을 제작한 이유이기도 하다.

'녀석이 고른 신화검의 특징이 크리 20퍼센트 증가였던가.'

덕분에 크리티컬 160%가 된 마도지존은 검객 트리의 카운터라 할 수 있는 크리 저항 장비에 면역이 되어 PVP나 공성전에서 깡패짓을 하고 다닌다고 들었다. 크리 저항 아이템이 좋아 봐야 30% 아주 좋아 봐야 50%에 불과하니 당연한 일이다.

'그리고 천지를 가르는 검.'

[천지를 가르는 검]

치명타 성공 시 [천지검] 스택이 저장된다. 이 스택은 일반적인 방법으로 감소하지 않으며, 스택이 100회까지 쌓일 시 스킬을 발동할 수 있다.

스킬 발동 시, 100회의 치명타 동안 적에게 가한 '총 데미지'로 적을 공격.

해당 적이 사망하면 남은 데미지로 10미터 이내의 다른 적을 공격. 해당 적 사망 시 다시 10미터 이내의 다른 적을 공격.

해당 효과는 총 데미지가 모두 소모될 때까지 반복된다.

"이건 잘 알지."

게임에서도 이 고유 스킬로 몬스터 많이 썰고 다녔다. 무기가 별로라 신검합일의 효과를 크게 보지 못했던 것과 달리 천지를 가르는 검의 경우는 온전히 작동한 덕분이다.

장비도 개뿔 없는 리벤지의 캐릭터가 오우거 수십 마리를 일격에 죽여 버리던 힘!

레이드에서도, 잡몹을 잡을 때도 강력한 스킬의 사기성은 두 번 말하면 입 아픈 일이리라.

"하지만…… 제일 중요한 건 이거지."

초월경(超越境).

모든 신화급 클래스가 공유하는 특성

[초월경(超越境)]

모든 스텟의 격이 한 단계 상승.(단 999를 넘기지 않는다.)

모든 스킬 사용에 최상급 보정.

격하(格下)의 모든 공격에 대한 내성 판정이 한 단계 상승.

격하의 모든 방어 능력을 절반 이상 무시.

리벤지의 시스템상 난 이미 초월지경이다. 그러니까 초월지경에 올랐기 때문에 검강이나 궁극 마법 등의 신화 스킬을 배울 수 있고 신화 등급 펫을 다루거나 신화 등급의 수호령을 장착할 수 있었다.

그러나 현실에서는 어떤가?

과연 내가 초월자인가?

"역시……. 그렇지는 않군."

신화 클래스를 적용시켰지만 뭔가 깨달음이 오거나 하지는 않았다.

'하기야 초월경이란 특성을 얻었다고 내가 진짜로 초월지경에 오르지는 않겠지.'

그저 초월경 이름의 버프 하나가 붙었다고 할 수 있다.

그저, 그 버프 하나가 너무, 아주, 몹시 강력하다는 게 문제지.

"이게 제일 정신 나간 버프란 말이야."

모든 스텟이 한 단계 상승만 해도 정신 나간 버프다. 신화급 클래스를 얻을 정도면 이미 스텟이 보통이 아닐 텐데 한 단계, 그러니깐 100포인트를 상승시켜 버리는 것!

거기에 스킬 보정, 격하의 상대를 대상으로 한 내성 상승, 방어 무시까지 달려 있다.

초월자 이하의 상대는 다 죽으라는 효과다.

"초월지경이 아니어도 과거랑 비교가 불가능하네……."

여기서 끝낸다 해도 어지간한 어르신은 그냥 쌈 싸 먹을 정도.

'물론 어르신이면 대체로 개인 기가스를 가지고 있다는 게 문제지만…….'

그러나 나 역시 이제 시작일 뿐이다.

"아…… 근데 펫은."

펫 카드를 꺼내려다 주춤한다.

리벤지에서는 그 녀석을 소환해도 괜찮았다.

그러나 그것은 말하자면 게임적 허용.

전쟁 때만 성의 건물이 부서지는 게임과 달리 평소에도 도로를 까뒤집을 수 있는 현실에서 녀석을 소환하는 건 너무나 위험한 일이다.

내 도시가 잔뜩 부서질 수 있었다.

"그럼 수호령부터 하자."

쿠구궁!

또 먹구름이 몰려들고.

—번개의 왕. 하늘을 가르는 천둥.
—뇌신이시여. 벼락의 새여.

[모두 칭송하십시오. 첫 번째 신화(수호령)가 지금 이 자리에 탄생하였습니다.]
[그의 이름은 한재연.]
[지금 이 시간부로 24시간 동안 모든 사냥터에 경험치 100퍼센트 버프가 주어집니다.]
[중첩 발생!]
[지금 이 시간부로 24시간 동안 모든 사냥터에 경험치 200퍼센트 버프가 주어집니다.]

개인 알람도 울린다.

컬렉션 완성!
날개 달린 뇌신(뇌신조 썬더버드) 모든 스텟+10

나는 수호령 설명을 읽었다.

[뇌신조 썬더버드(신화)]
알로 변해 천 년간 봉인되어 있던 썬더버드는 마침내

한 줄기 벼락으로 뇌신의 경지에 이르렀습니다.

이 재앙과도 같은 벼락을 누가 막을 수 있을까요?

5레벨 - 생명력+40

10레벨 - 마나력+40. 뇌(雷) 속성력+150.

15레벨 - 근력+40.

20레벨 - 체력+40. 민첩+40. 뇌(雷) 속성력+150

25레벨 - 항마력+40.

30레벨 - 마나+40. 마나 회복력+40. 회복력+40. 굉뢰(轟雷).

35레벨 - 마나력+30.

40레벨 - 생명력+45. 항마력+45. 마나력+45. 극(極). 굉뢰(轟雷).

45레벨 - 생명력+45. 항마력+45. 마나+45.

각성 썬더버드(전설)의 상위 등급이다.

'전설 수호령도 각성 썬더버드를 오래 썼는데 신화급 수호령도 썬더버드라니.'

참으로 기묘한 우연이다 싶지만 잘 생각해 보면 당연한 일이다.

'신화급 수호령하고 펫은 절반이 화점 몬스터니까.'

신화 클래스가 18종인 것처럼 신화급 수호령과 펫도 18종.

그리고 당연하지만.

그 18종 안에는 9종의 화점 몬스터가 들어 있다.

쿵! 쿵! 쿵!

심장이 거세게 뛴다. 늘어난 스텟으로 감각이 교란된다.

내가 자리에 괜히 앉은 게 아니다. 스텟이 단번에 너무 달라져 버리면 육체를 통제하기 어렵기 때문.

'괜히 감각 꼬이기 전에.'

괜히 중간 스텟에 익숙해지기 전에 스텟을 마저 올려야 한다. 지금의 감각에 적응한 후 스텟을 더 올리면 다시 적응해야 하는 문제가 있기 때문.

나는 즉시 킬리언스파이브부터 킬리언스삼사까지의 인벤토리를 열었다.

슉.

허공에서 화려한 디자인의 장검이 모습을 드러낸다.

[찬탈자의 검(전설)+9]

아주 강력한 무기다.

농담이 아니라 지금 이 대륙에 존재하는 모든 검을 통틀어 가장 강력한 무기라 해도 과언이 아니었다. 그냥 전설급 무기도 아니고 9강화된 전설급 무기는 이 무기 한 자루 들고 나라를 세워도 이상할 게 없는 수준.

그러나 이 검이 적을 찌를 일은 영영 없을 것이다.

컬렉션 완성!

왕의 검(미라클 소드+9. 드래곤 슬레이어+6 찬탈자의 검+9) 근력+4

찬탈자의 유산(찬탈자의 방패+6. 찬탈자의 갑주+6 찬탈자의 검+9) 민첩+4

전설의 검(찬탈자의 검+9) 생명력+4

제국의 이름(지배자의 벨트+6. 임페리얼 흉갑+6. 찬탈자의 검+9) 마나력+4

도굴왕의 보물(고대 엘븐 소드+9. 고대 드워븐 소드+9. 찬탈자의 검+9) 회복력+4

전설 9강은 엄청난 소비였지만 그 대가는 달콤하다. 이 장검 하나를 마지막 피스로 하는 컬렉션이 다수 있었기 때문.

그리고 그와 같은 과정을.

컬렉션 완성!

컬렉션 완성!

컬렉션 완성!

컬렉션 완성!

반복한다. 계속해서 반복한다. 인벤토리에 챙겨 놓았던 장비들을 꺼내 컬렉션을 채워 나갈 때마다 스텟 역시 따라서 올라간다.

뿌득! 끼이익!

근육에서 들리는 소리가 무슨 거대한 밧줄이나 쇠가 조여지는 것처럼 요란스럽다.

급격한 육체의 진화에 전신 혈관이 피부 위로 모습을 드러낼 정도로 빠르게 피가 흐른다.

치이익!

무슨 증기 기관처럼 몸에서 수증기가 뿜어진다. 그리고 마침내 모든 컬렉션을 등록하는 순간.

"후."

깊게 심호흡한다. 심장이 터져 버릴 것 같은 상황.

그런데.

화악!

내뱉은 호흡을 얻어맞은 목재 의자에 불이 붙었다. 너무 난데없는 현상이었기에 불을 끌 생각도 못하고 멍하니 바라만 보았다.

"……이건 또 뭐야. 입김이면 습기인데 습기에 불이 붙어?"

정신을 차리고 보니 방 안의 공기가 크게 달아올라 아지랑이가 피어오르는 모습이 보인다. 나는 급한 대로 집무실의 구조를 변경해 창문을 열었다.

휘오오오오오!

온도 차이 때문인지, 고도 때문인지 돌풍이 불어 집무실이 엉망으로 변한다. 나는 불타고 있는 의자를 대충 뭉개 버리며 황당해했다.

"아니, 무슨 용도 아니고 입김 때문에 불이 붙어? 지금 체온이 몇 도인 거야?"

보통의 인간 정도가 아니라 능력자의 수준도 넘어섰다.

이쯤 되면 우주전에서 쓰는 생체 병기에 가까운 수준.

'어떤 공격 기술이나 이능도 아니고 그저 육신이 변하는 과정에 이 정도의 열이 발생하다니…….'

자리에서 일어난다.

쾅!

몸이 튕겨 올라가 천장에 부딪히고 말았다.

"아이고. 이거 몸이 가벼운 그런 수준이 아닌데."

그러나 나는 [불가해한 신체 제어]의 소유자.

온몸의 뼈, 근육, 힘줄…… 그 모든 걸 통제하여 똑바로 자리에 섰다. 그리고 창가에 서 뜨겁게 달아오른 몸을 식혔다.

띠리리!

집무실의 내부 통신에 불이 들어온다. 나는 수화기가 부서지지 않도록 조심하며 들어 올렸다.

"그래."

그 너머에서 시종장, 플라워가 말을 전한다.

[적들이 시야 안에 모습을 드러냈습니다. 빠르게 접근 중입니다.]

"전투 태세는."

[완료되었습니다.]

난데없는 건설과 업그레이드의 향연에 궁금한 게 많을 텐데 할 말만 하는 플라워. 나는 고개를 끄덕이며 답했다.

"준비한 대로."

[네, 폐하.]

그 말을 끝으로 통화가 끝난다. 나는 수화기를 내려놓았다.

"오는군."

적이 오고 있다. 지금까지 경험해 보지 못한 엄청난 군세.

"참으로……."

그러나 전혀 걱정이 되지 않는다. 걱정이 될 수가 없었다.

"가엾고 딱하게 되었구먼."

그저, 웃음이 나올 뿐이었다.

chapter2.

위대한 황제

chapter2.
위대한 황제

같은 세력도, 동맹도 아닌 주제에 어쩐 일인지 시간을 맞춰 몰려오는 적.

공격은 세 갈래로 이뤄지고 있다.

먼저 서쪽에서 진군하는 썬더버드의 군세, 남쪽에서 올라오는 광신자의 군세, 그리고 남서쪽에서 날아오는 와이번 무리까지.

그중 가장 위험한 건 어느 쪽일까?

'그거야 알 수 없지.'

상식적으로는 스페셜 보스가 끼어 있는 두 무리가 더 위험할 것이다.

내가 인류제국의 기틀을 마련하고 내정에 집중하는 동안 바둑판의 외곽을 화점의 몬스터가 다 차지한 상황.

'설마 신화급이 되지는 않았겠지만……. 성을 열 개도 못 먹었던 얼음 여왕보다는 더 강할 거야.'

그러나 내륙에서 날아오는 와이번 무리의 위험도 보통이 아니다.

'평균적으로 고레벨이니까.'

와이번은 필드에 널린 잡몹도 영웅 등급인 몬스터다. 굳이 엘리트, 보스가 아니더라도 무시할 수 없는 적.

거기에 녀석들에겐 비행 능력이 있다. 성벽을 그냥 날아서 지나칠 수 있다는 말이다.

"온다! 괴물들이 접근하고 있다!"

"사수 준비! 신호 때까지 대기!"

"훈련받은 대로 해! 총이 더 좋아졌다니 믿고 쏘면 된다!"

"견착 제대로 해!"

성벽에 병사들이 밀집해 있다. 상식적인 대처는 아니다. 이렇게 밀집되어 있다가 와이번의 브레스라도 얻어맞으면 떼죽음을 당하기 때문이다.

실제로 하늘을 날아오는 와이번들의 입에 화염이 머금어지기 시작한다.

하나하나가 영웅급, 과거였다면 병사 천 명도 넘게 학살할 수 있는 괴물!

"준비된 사수부터! 발사!"

그러나 녀석들의 숨결이 병사들에게 쏟아지는 일은 없었다.

탕탕탕! 탕! 탕!

"크! 반동이……!"

"꽉 잡고 쏴라! 올린 레벨이 몇 개인데 징징거리지 마!"

4,000정의 저격총이 불을 뿜는다.

플레이어의 레벨이나 스텟과 관계없이 똑같은 데미지를 내는 수성 오브젝트.

게임에서는 공간상의 문제로 1,000여 정 이상 설치할 수 없는 물건이지만 이곳에서는 사는 대로 활용이 가능하다.

'들고 성벽을 벗어날 수 없다는 제한만 아니었으면 특수병단 같은 것도 만들었을 텐데.'

그렇게 아쉬워할 만큼.

저격총의 위력은 엄청나다.

퍼버버버벅!

"키엑!?"

"캬악!"

하늘을 가득 메운 채 날아오던 와이번들이 우르르 추락하기 시작한다. 까마득히 먼, 그러니까 최소 700~800미터 바깥쪽에서부터 벌어진 일이었기에 무슨 벌레 떼에 살충제를 뿌린 것만 같다.

"이야, 이게 맞네."

집중적인 사격 훈련의 효과라기보다는 워낙 큰 표적지가 잔뜩 몰려서 날아온 덕에 가능한 일이었지만 어쨌든 적의 사거리보다 훨씬 먼 거리에서 공격을 가할 수 있다는 게 중요하다.

"생각보다 효과가 좋네. 역시 비행형 적은 요격이 딱이야."

사실 영웅급 몬스터쯤 되면 방어력과 생명력도 보통이 아니다. 만약 지금 몰려오는 몬스터들이 영웅급 육상 몬스터였다면 총알을 수십 발은 맞아야 제대로 된 타격이 들어갔겠지.

그러나 상대가 톤 단위의 덩치를 가지고 하늘을 나는 괴물이라면?

날개 피막을 찢어 주는 것만으로 상황은 심각해진다.

콰쾅! 쾅! 쿠쿵!

"키익!"

"켁!"

포물선을 그리며 추락한 와이번들에게서 괴성이 터져 나온다. 그 덩치를 가지고 수백 미터나 되는 높이에서 추락했으니 아무리 영웅급이라도 무사할 수 없는 상황.

와이번들은 추락으로 인해 입은 무지막지한 타격으로 쉽게 몸을 일으키지 못하고 날개만 퍼덕였다. 그리 많지 않은 수였지만, 개중 재수가 없던 녀석들은 목이 부러져 죽기도 했다.

'그리고 그렇게 와이번이 죽으면…….'

시점을 돌려 병사들을 확인한다. 역시나 짐작하던 일이

일어난다.

팟! 팟! 팟!

성벽 여기저기에서 레벨 업 이펙트가 마구 터져 나온다.

와이번이라는 고레벨 몬스터를 200% 경험치 버프가 걸려 있는 상태로 잡았으니 당연한 일이다.

'내가 이것 때문에 포격을 안 했지.'

이왕 경험치 200% 버프가 있으니 활용하는 게 자연스러운 흐름. 물론 이 활용에는 위험성도 있었다.

기어코 화망을 뚫고 들어오는 와이번이 생긴다는 것!

화악!

100~200미터 안쪽으로 들어온 와이번들이 브레스를 뿜는다. 사람 몸통만 한 화염구들이 뭉쳐 있는 병사들을 향해 날아든다.

"히익!"

"방어! 방패병!"

"호들갑 떨지 마! 황제 폐하의 말씀을 의심하는가!"

누군가의 외침대로.

당연히 대비책이 있다. 여기가 괜히 신화 성이겠는가?

퍼버버벙!

반투명한 결계가 브레스를 막아 낸다. 나는 화면 한쪽에 뜨는 숫자를 확인했다.

[마나 실드]

998,176/1,000,000

마나 실드는 길드 타워에 설치한 종합 통제실(전설)에 달린 주 기능 중 하나이다. 성벽처럼 직접적으로 적을 막아 세우지는 못하지만, 적어도 원거리 공격은 확실히 방어하는 기능.

무엇보다 [복원 포인트]처럼 다이아로 충전하는 기능이 아니라는 게 엄청난 장점이다. 심지어 전투 중이라 해도 시간이 지나면 자동으로 마나가 차오른다.

물론 어떻게든 성벽 위로 몸을 날려 병사들을 습격하는 와이번도 있었지만.

"방패병!"

"혼자 막지 마! 뭉쳐라!"

쿵!

몰려든 방패병들이 그 앞을 막아선다. 이어서 쏟아지는 공격에 화망을 뚫고 와 상태가 엉망이던 와이번을 칼로 찔러 마무리하거나 그대로 밀어 수십 미터 높이의 성벽 아래로 떨어트린다.

그뿐이 아니다.

"우리의 시간이다! 마무리해라!"

"전원! 거창!"

두두두두!

성벽 밖에서 대기하고 있던 기사단이 달려와 추락해 골골거리고 있던 와이번을 공격한다. 이후 드랍된 아이템을 회수하는 건 너무도 당연한 과정이었다.

"좋아. 문제없군."

자신들보다 훨씬 강한 적이 상대였지만 병사들의 피해는 거의 없다시피 하다. 신화급 성이라는 환경이 가지는 이점이 너무나도 압도적이라 능력의 차이조차도 뛰어넘을 수준이기 때문이다.

"바위를 밀어! 화살을 쏴라!"

"녀석들이 성벽을 오르지 못하게 해!"

"성문을 지켜!"

서문(西門) 역시 몰려드는 몬스터들을 순조롭게 막아내고 있었다. 전원이 영웅급 몬스터인 와이번들과 다르게 고급, 희귀 등급의 몬스터가 주류였기에 돌과 화살도 먹히는 상대.

물론 뇌 속성의 몬스터들이 벼락이 뿜어 성벽 위를 공격한다는 문제가 있었지만.

파직!

역시나 결계에 막힌다.

"크아아아!"

쿵!

정예 몬스터, 썬더 자이언트(희귀)가 괴성을 내지르며 땅을 박찬다. 그 거대한 덩치에서는 상상할 수 없을 정도로 날렵한 점프!

물론 그래 봐야 50미터도 넘는, 성벽이라기보다 줄지어 서 있는 아파트 단지에 가까운 높이를 단번에 뛰어넘을 수는 없다.

썬더 자이언트 역시 그걸 아는 듯 들고 있던 오른팔로 성벽을 후려쳤다. 성벽에 주먹을 꽂아 몸을 고정한 뒤 다시 뛰어오르려던 모양이지만.

콰득!

"끄에엑!?"

오른팔이 박살 난 녀석은 성벽에 피 칠갑을 하며 주르륵 미끄러졌다. 성벽에는 흠집 하나 없다.

녀석들도 나름 괴물이라 할 수 있는 녀석이지만…… 신화급 성벽의 높이와 강도는 실로 살인적.

미사일 폭격이 떨어져도 버틸 성벽에 덤비기엔 너무나 얄팍한 시도였다.

"잘 막는군."

그 모든 모습을 천천히 살핀다. 만약을 위해 레일건-16(전설)과 미티어 캐논(전설)을 장전하고 있었지만 발사할 필요는 없는 모양.

아무리 강력한 힘을 가지고 있다 해도 신화급 성은 무작정 달려들어서 공략할 수 있는 장소가 아니다.

"……오?"

그러나 모든 몬스터가 무작정 달려드는 것은 아니었다.

척! 척! 척!

나는 길드 타워에 설치된 부속 건물. [종합 통제실]에 설치된 디스플레이 장치를 통해 남문을 향해 접근 중인 군대의 모습을 보았다.

수백 마리의 와이번 떼나 수천 마리의 전격 몬스터와 달리 너무나 '몬스터스럽지 않은' 형태의 적.

'인간형 몬스터.'

RPG 게임을 해 본 사람이라면 모든 몬스터가 마수 같은 인외의 존재는 아니라는 사실을 알고 있을 것이다.

소소하게는 깡패1, 깡패2 같은 것들부터 스토리에 따라서는 병사, 기사, 마법사 등등의 적 또한 '몬스터'로서 주인공을 적대한다.

우변화점의 세력, 천신교도(天神敎徒)이자, 광신자 무리 역시 그런 케이스다.

설정에 따르면.

천신교는 신성제국에서도 배척받던 극단적인 교파였다. 오직 천신만이 유일신이고 다른 신들은 거짓된 우상에 불과하다는 배타적인 교리를 가진 곳.

'다른 인간들은 몬스터한테 죽어 나갈 때 정체불명의 힘을 받아들여 거대한 세력을 이뤘다던가. 사실 그들이 모시던 천신은 봉인된 고대의 외신(外神)이라는 설정이었지.'

그리고 그들을 이끄는 존재가 바로 광(光) 속성 화점의 스페셜 보스, 광신자(狂信者) 에드워드.

지금 몰려오는 군단의 우두머리다.

탕! 타탕!

성벽에서 사격이 가해졌지만, 전신 갑주로 온몸을 싸맨 천신병(희귀)에게는 통하지 않는다. 심지어 녀석들 중 태반이 대형 방패를 들고 있기에 더욱 그러하다.

'어? 아니 잠깐…… 좀 이상한데?'

천신병의 외양은 이미 홈페이지와 팬 사이트에서 봐서 알고 있다.

'내가 아는 천신병의 무장은 저렇게 튼실하지 않았는데…….'

특이점은 그뿐만이 아니다.

뿌- 우!

뿌우우--!

거대한, 농담이 아니라 덤프트럭보다 큰 코끼리 수백 마리가 오와 열을 맞춰 성을 향해 접근하고 있다.

문제는 녀석들이 몬스터가 아니라는 것이다.

"아니 잠깐 저 외향…… 대수림의 살인 코끼리잖아?"

마수(魔獸).

어떤 짐승이 10명치의 인간을 잡아먹어 진화한 존재다. 흔히 십인마수라고 부르는데 문자 그대로 10명의 사람을 먹어 탄생한 존재이기 때문이다.

마수는 긴 시간에 거쳐 인간을 계속 잡아먹음으로써 뿔

이 돋아난다거나, 덩치가 더 커진다거나, 가죽이 두꺼워진다거나 하는 식으로 진화한다.

그리고 그렇게 식인한 숫자가 1,000명에 이르게 되면.

녀석들은 한 마리 상대하는 데 군대가 필요한 공포의 존재가 되어 버린다.

천인마수(千人魔獸).

과거 이방인에 불과하던 내가 영지를 얻어 낼 수 있었던 것 또한 영지 근방에 자리 잡은 천인마수, 늑대왕 아칼란에게 전임 영주가 줄줄이 죽어 나갔기 때문이었다.

게이트가 열리고 몬스터가 등장하기 전 인류의 최대 적이었던 존재.

'지금은 멸종 위기종이 되어 버렸지만.'

그렇다. 그게 현실이다. 게이트가 등장하고 몬스터들이 등장한 최근에는 마수 털끝 하나 보기 힘든 상황인 것.

그런데 그런 녀석들이…… 십인마수도 백인마수도 없이 오로지 천인마수로만 수백 마리가 모여 있다.

아르데니아에서 20년 넘게 살아온 내 시각으로 이건 말이 안 되는 일이다.

"가 봐야겠네."

자리에서 일어난다. 안 그래도 몸이 근질근질하던 참이다.

"남문."

종합 통제실의 한쪽 벽을 채우고 있는 거대한 지도의 한편을 누르자 자동으로 통신이 연결된다.

주식을 다 팔아 채팅이 불가능한 지금 너무나 편리한 기능이다.

[추, 충성! 아이언 캐슬 1군단 제2보병사단 3중대장 퀵스텝 소위! 현재 수성 준비 중입니다!]

래퍼가 아닌가 싶을 정도로 빠르고 또박또박한 딕션이 귀에 때려 박힌다.

관등성명만 매일 연습한 게 아닐까 싶은 신속함이다.

"어, 그래. 수성 준비 중인 저격병들을 와이번 전투에 지원 보내."

[…….]

내 명령에 퀵스텝이 잠시 말을 잇질 못한다. 이제 적이 막 쳐들어오려는 상황인데 최대 무력을 빼라는 명령을 들었으니 당연한 일이다.

[하지만 폐하! 적이 지금…….]

"거기로 내가 간다."

내 말에 퀵스텝의 목소리가 대번에 변한다.

[헉!? 네! 즉시 명령을 수행하겠습니다! 충성!]

뚜.

통신을 끊고 종합 통제실을 둘러본다. 이제 막 건설된 부속 건물이었기에 아무도 없다.

"앞으로는 사람을 상주시켜야겠군."

성 전체의 상황을 살피는 것은 물론 상급 이하의 은신을 파악 가능하며 원하는 곳으로 목소리를 보낼 수 있는 기능은 전시에도 평시에도 너무나 쓸모가 많다.

지휘관과 참모, 상인과 행정관을 상주시킨다면 많은 도움이 될 것이다.

"어디 보자……."

나는 길드 타워 옥상으로 올라 잠시 고민했다.

"전투 풀셋을 갖추는 건 역시 오버겠지?"

세부 옵션까지 신경 쓴 전설 9강 장비셋을 거래소에서 구매해 놓은 상태.

그러나 아무리 생각해도…… 그걸 걸치고 나가는 건 오버다.

방심이 아니라 현실이 그렇다.

"그렇다면 뭐."

대신 나는 다른 사용처의 장비들을 꺼냈다.

[행운의 골든 크라운+9(전설)]

[행운의 엔젤 윙 수트+9(전설)]

[행운의 블랙 수트 하의+9(전설)]

[행운의 찬란한 빛 슈즈+9(전설)]

[행운의 찬란한 빛 장갑+9(전설)]

그 모든 것을 몸에 걸친 후 상태창에 뜬 내 모습을 본다.

"……제길, 고르고 골랐는데도 이러네."

황금빛으로 빛나는 왕관.

천사의 날개가 달린 상의.

찬란하게 빛나는 장갑과 신발.

그나마 무난한 양복바지.

"너무 화려해……."

화려함이 정도를 넘어선다. 심지어 +9강 특유의 아우라까지 있으니 더욱 그렇다.

거기에 화룡점정.

[행운의 토끼발 망치+9(전설)]

"하."

사람 머리통 세 개는 붙인 사이즈를 가진, 그러나 토끼발 모양의 디자인이 귀여운 털이 뒤덮여 있는 외향 덕에 흉악함이라곤 찾아볼 수 없는 무기를 들어 올린다.

다시 말하지만 고르고 고른 무기들이다.

파츠별로 가장 무난한 외향을 고른 게 이거였다.

"피어오르는 새싹 세트나 섹시 산타 세트. 심쿵 고양고양 세트보다는 이런 게 낫겠지……."

행운 아이템은 대체로 이벤트 때 뿌린 것들이라 외향이 다 이 모양.

"성능, 성능만 보자……."

이렇게 부담스러운 장비들이지만 장점은 확실하다.

운 : 47(+590).

“일단 드랍률부터 보고.”
옥상을 박차 하늘로 뛰어오른다.
“뽑기도 하자!”
외침과 함께 옥상을 박차고 뛰어오른다.
“크아앙!”
포효와 함께 모습을 드러낸 카심이 하늘에 떠 있던 날 잡아채 남쪽으로 비행한다.
“아, 최소한의 예의는 지켜야지.”
나는 끼고 있던 냉기 수호의 반지(희귀)+9를 빼 인벤토리에 넣고 빛 지배의 반지(전설)+9을 꺼내 꼈다.
버프 칸에서 냉기 저항+90%가 사라지고 빛 저항 +90%. 빛 몬스터 상대로 데미지+10%. 실명 면역이 추가된다.
저항 반지 하나도 전설 9강으로 맞추는 내 모습.
취한다.
쉬이이익!!
마차로 달리면 1시간은 걸릴 정도의 거리였지만 카심은 순식간에 목적지에 도달했다.
나는 굳이 남문에 들르는 대신 바로 몬스터 무리 한가

운데로 날아들어.

카심의 소환을 취소했다.

쿠웅!!

주변 땅이 다 파일 정도로 거친 착지.

나는 경공을 쓰지 않았음에도 몸에 별 충격이 없다는 사실에 만족하며 몸을 일으켰다.

"신이여……."

"미친놈이군."

"감히……."

모두가 날 보고 있다. 성벽 위의 병사들. 수만 명이 넘는 광신도들.

은은한 빛에 둘러싸인 사내.

스페셜 보스, 광신자 에드워드까지도.

"뿌우우!"

녀석을 태우고 있는 가장 화려하게 치장한 코끼리 녀석이 나를 향해 위협적으로 으르렁거린다. 무섭다기보다 신기하다.

'아니 마수가 이렇게 길들여진다고? 무슨 어릴 때부터 키운 것 같네.'

마수를 길들이려는 시도는 아르데니아에서 수천 년 동안 시도되었음에도 실패했다. 인간을 향한 마수의 식욕을 끝끝내 이기지 못했기 때문이다.

전에 오크 녀석들도 늑대 마수를 길들여 타고 다니려고

하더니…… 아무래도 마수는 인간과 몬스터를 좀 다르게 인식하는 모양이다.

"백색의 드레이크…… 그렇군요. 당신이 그 소문의 산적 남작이로군요. 말세가 도래한 이후 크게 세력을 키웠다고 들었습니다."

새하얀 법의를 입은 금발의 미남이 사람 좋게 웃는다.

나 역시 사람 좋게 웃었다.

"말이 통하는군. 마치 사람처럼 보여."

"물론 우리는 사람입니다. 모두 위대하신 천신님의 자식들이지요."

말하는 것만 들어보면 아주 멀쩡한 녀석처럼 보인다. 나는 녀석 너머에 오와 열을 맞추어 도열해 있는 천신병들의 모습을 보았다.

'그야말로 엄선한 정예병이군.'

어떤 화점이든 가장 많은 숫자를 차지하는 몬스터는 고급 등급이다. 얼음여왕의 군세 중에는 아이스 엘리멘탈(고급)이 그랬고 지금 서문으로 쳐들어오고 있는 썬더 엘리멘탈(고급) 역시 그러한 종류.

'성국 병사(고급)가 후방의 수송병뿐이라니.'

훨씬 압도적일 숫자일 게 뻔한 고급 등급의 몬스터가 없다는 게 무슨 뜻인가? 지휘관의 입장. 그리고 몬스터들의 리젠 방식을 생각해 보면 답은 간단하다.

'상대적으로 약한 병력은 수비용으로 돌려 착점을 지키

고 각 착점에서 희귀급 이상 몬스터를 모집해 공격용으로 쓰는군.'

고급 등급의 몬스터를 방어용으로 쓰면 모자란 전력에도 불구하고 상당한 장점이 있다.

'리젠 속도.'

희귀급 이상의 몬스터들과 달리 리젠이 빠른 고급 등급의 몬스터는 설사 죽는다 해도 빠르게 충당이 가능하다. 수성이 길어지면 죽었던 병사가 살아서 다시 모습을 드러내는 것!

방어진을 단단히 굳히고 버티면 웬만한 병력으로는 착점을 차지하기 쉽지 않을 것이다.

하물며 그 병력 사이사이에 천인마수가 있다면?

'높은 등급을 가진 내륙 몬스터와는…… 다른 의미로 위험하군.'

객체로서의 역량은 중요한 문제지만 세력이 되면 단지 그것만으로는 안 되는 순간이 온다. 더 하위 등급의 인간 세력, 예를 들면 영웅급밖에 안 되는 [브라이트 반란군]이 전설급까지 있는 포자 숲을 정복한 것이 그 예이다.

인간형 몬스터라고 해도 그들이 스스로를 게임 속 NPC라는 걸 아는 건 불가능하지만.

다른 몬스터와 달리 온전한 지성을 가진 녀석들은 스스로가 죽으면 부활한다는 사실과 인간에게 살해당하면 아이템을 떨군다는 사실을 경험적으로 깨달을 수 있다.

게임 시스템을 이용할 수 있다는 뜻이었다.

"……그래, 그 천신님의 자식들이 아무런 기별도 없이 내 성에 쳐들어오는 이유는 뭐지?"

내 물음에 날 내려다 보던 에드워드의 눈이 초승달처럼 휘어진다.

"이거…… 이거 이거."

놀랍다는 표정에 기쁨이 어린다.

"이거 정말로 산적 남작 본인인 모양이군요. 설마 저만한 군세도, 성도 내버려 두고 홀몸으로 오실 줄이야. 정말 대단한 영웅이십니다."

당연히 칭찬이 아니다. 네가 오만하고 멍청한 탓에 일이 쉽게 풀려 좋아 죽는다는 말이지.

"그게 네 대답인가?"

나는 에드워드를 바라보았다. 다시 봐도 인간으로밖에 보이지 않는다.

깨달은 광신자(전설)

에드워드

그래. 저 칭호와 등급 말고는 아무 차이점이 없다. 그들이 그러고자 하기만 한다면 인간과 뒤섞여 사는 것조차 가능하겠지.

"……."

나를 바라보던 에드워드의 친절한 미소가 지워진다. 그는 잠시 나의 눈을 가만히 응시하다 말했다.

"도둑이 오는 것은 도둑질하고 죽이고 멸망시키려는 것뿐이요 내가 온 것은 양으로 생명을 얻게 하고 더 풍성히 얻게 하려는 것이라. 우리는 침략군이 아니고 천신의 종이자 인류의 수호자이다. 인간의 영웅아. 당장 성문을 열고 빛의 군세를 받아들여라."

웅!

녀석의 시선에 기세가 깃든다. 말투 역시 바뀌었다.

위압적인 분위기였지만 굳이 반응해 주는 대신 물었다.

"그렇게 한다면 우리에게 어떤 이득이 있지?"

내 말에 에드워드의 얼굴이 험악하게 변한다.

그는 자리에서 일어나 마치 웅변이라도 하듯 목소리를 높였다.

"어리석은 자는 그의 마음에 이르기를 천신님이 없다 하도다. 그들은 부패하고 그 행실이 가증하니 선을 행하는 자가 없도다! 인간의 영웅인 줄 알았는데 고작 이득을 말하는 모리배라니! 어리석고 탐욕스럽도다!"

"그러니까 아무 대가 없이 그냥 항복해라?"

"죄를 짓는 자는 마귀에게 속하나니 마귀는 처음부터 범죄함이라 천신님의 아들이 나타나신 것은 마귀의 일을 멸하려 하심이라! 천신의 발아래 엎드리는 영광 앞에서 네가 감히 대가를 말하느냐? 그렇다면 내가 질문하지! 네놈들의 죄악의 대가는 얼마나 될까?"

불과 30여 초 전의 온화한 인상은 어디로 간 것인지 살기등등하기 짝이 없는 모습.

그뿐이 아니다.

철컹! 철컹! 철컥!

중갑주를 걸친 천신병들이 둥글게 포위진을 짜기 시작했다. 그 너머에서는 천신의 사제(희귀)들이 중얼중얼 기도문을 외우는 모습이 보인다.

"흠."

그러나 전혀 두렵지 않다.

두려울 수가 없었다.

"미치광이 에드워드."

"저, 건방진 놈!"

"무례하다! 감히 교황님께……!"

분노해 악을 쓰는 병사와 사제들.

나는 어이가 없어 웃었다.

"교황이 되셨어? 하긴…… 어떻게 생각하면 당연한 일이겠군."

광신자 에드워드는 신성제국의 이단 심문관이었다. 오직 천신만이 유일하다는 극단적인 믿음으로 인해 사제들 사이에서도 '미치광이'라는 별명으로 불리었던 존재.

'게임이 현실이 되니…… 이렇게 바뀌는군.'

스페셜 보스라 하더라도 게임 속의 에드워드의 직위는 이단 심문관.

그러나 지금. 스페셜 보스로서의 힘으로 거대한 땅을 차지한 그는 교황이 되었다. 그것은 몬스터들 또한 욕망과 정치를 가진 존재라는 뜻이리라.

"즉, 어쩌면 꼭 싸울 필요가 없다는 뜻일지도 모르지만……."

수만 명의 병사 한가운데서 나는 카드 한 장을 허공에 던졌다.

"말하는 꼬락서니를 보니 쓸데없는 고민이겠어."

그래. 쓸데없는 고민이다.

인간 같은 몬스터가 아니라 그냥 인간하고도 전쟁을 하는 게 인간이다.

쿠르릉…….

먹구름이 몰려 온다.

"녀석이 뭔가를 한다! 공격해!"

"불신자의 목을 잘라! 십자가에 매달아라!"

"누구든지 생명의 책에 기록되지 않은 자는 불못에 던져지더라!"

기도문을 외우는 천신교 성기사(영웅)이 빛나는 검을 들고 달려온다.

이것 또한 기묘한 일이다.

'성기사란 몬스터는 없었는데. 무엇보다 영웅급이라니.'

그러나 깊이 생각할 틈은 없다. 성기사와 함께 천신병들이 몰려들기 시작했기 때문. 저 멀리서는 사제들이 성가를 부르기 시작했다.

짜임새 있고 체계적인 공격이었지만.

'한심하군.'

나는 화려한 가마 위에 앉아 있는 에드워드를 보았다. 지금 이 자리에 있는 무력 중 최강일 텐데도 쉽게 움직이지 않는 교황을.

덕분에 녀석들이 내게 도착하기도 전 뽑기가 완료되었다.

[모두 칭송하십시오. 첫 번째 신화(펫)가 지금 이 자리에 탄생하였습니다.]

[그의 이름은 한재연.]

[지금 이 시간 부로 24시간 동안 모든 사냥터에 경험치 100퍼센트 버프가 주어집니다.]

[중첩 발생!]

[지금 이 시간 부로 24시간 동안 모든 사냥터에 경험치 300퍼센트 버프가 주어집니다.]

쿠구구……!

땅이 흔들린다. 몰려오던 병사들이 나동그라지고 기사들조차 당황해 발을 멈춘다.

"따, 땅이!?"
"이게 대체 무슨……!"
"아, 아래! 아래쪽에서 뭔가가……!"
모두가 경악하고, 오만한 표정으로 상황을 지켜보던 에드워드의 안색마저 변하는 그 순간.
땅이.
솟아오른다.
훙!
주변 땅의 모습이 한순간 급격히 멀어진다. 엘리베이터 따위에서 느낄 수 없는 급격한 상승감에 여기저기서 비명이 터져 나온다.
그러나 이내 터져 나온 괴성이 그 모든 소음을 뒤덮었다.

[우어어어엉------!]

터널을 통과하려는 거센 바람 소리를 수천만 배는 키운 것 같은 소리에 천지가 진동한다.

-산보다 거대한 것. 심연보다 깊은 것.
-그야말로 온 세상을 집어삼킬 재앙이로구나.

바글바글 모여 있던 천신군이 사방으로 튕겨 나간다.

나는 가로세로 3미터는 될 듯한 비늘 위에 서서 경악을 금치 못하는 에드워드를 내려다보았다.

"인사해."

역시 성에서 안 꺼내길 잘했다. 도시가 다 박살이 났을지도.

"네 선배야."

같은 스페셜 보스에 신화급이니 선배가 맞겠지, 아마.

컬렉션 달성!

대지의 재앙(완전체 랜드웜) 올스텟+10

산보다 거대하다는 묘사와 다르게 그렇게 크지는 않다.

금속성 광택이 흐르는 비늘에 뒤덮여 있는 이 거대한 웜은 고작(?) 지하철 16개를 포개 놓은 수준의 두께를 가지고 있을 뿐이니까.

다만 길이가 매우 길어서 땅 위로 백 미터 이상 몸을 드러내고 있는 지금도 전체 길이를 가늠하기가 힘들었다.

"뭐, 보면 알겠지."

카심을 타고 여기에 왔을 때 인사 겸 신성포효를 갈기게 하고 싶었지만 그러지 않았다. 펫 스킬의 쿨 타임은 모든 펫이 공유되기 때문에 하나를 사용하면 다른 스킬들도 사용할 수 없기 때문이다.

'하기야 그런 제한이 없었으면 플레이어들이 백 개도 넘는 펫을 반복해 소환하며 돌려썼겠지.'

그렇게 생각하며 랜드 웜의 머리통 위에 꼿꼿이 선다.

그리고 명령했다.

"랜드 웜. 뛰어올라라!"

스킬 명령어 작동!

그러나 뜻밖의 일이 일어났다.

[시…….]

"시?"

머릿속으로 울리는 목소리에 깜짝 놀란다.

아니 이렇게 생긴 주제에 언어 능력이 있단 말인가?

'그나저나 시? 시가 뭐지? 뭘 뜻하는 거지?'

의문을 품는 나를 향해 산만큼 거대하다는 신화급 괴수가 느릿느릿 말한다.

[시……]

기다리다 화가 날 정도로 태평한 영파였다.

[른…… 데…….]

"……?"

잠시 그 말을 이해 못하고 의아해 하다 신음한다.

"뭣이라? 싫다고?"

[네가…… 시키면…… 내가…… 해야…… 하나?]

너무나 합당한 질문이었다! 그래, 내가 시킨다고 랜드 웜이 꼭 해야 할 이유는 없겠지.

그러나 이제 와서 자유 의지 펫이라는 게 말이 되나?
나는 스킬 명령어를 포기하고 시스템 UI를 켰다.

그리고 [랜드웜 : 대파괴] 스킬을 마구 터치했다.

그러나 요지부동, 랜드웜은 꼼짝도 하지 않는다.

"아니 이게 무슨……."

번쩍!

당황하는 내게 눈부신 빛이 작렬한다. 예지했지만 위치상 피하기 까다로워 그냥 맞았다.

"악마! 악마를 불러냈구나! 더러운 불신자 놈! 내가 천신의 자비로 네놈을 벌할 것이다!"

눈치가 제법인 듯 랜드 웜이 내 통제를 받지 않는다는 사실을 깨닫자마자 기습이 들어온다.

물론 의미 없는 일이다.

90% 감소된 광속성 데미지로는 내게 큰 피해를 줄 수 없다. 아이템으로서의 성능이 떨어지는 행운템을 걸치고 있음에도 그랬다.

그런데 뜻밖에도 랜드웜이 말을 걸었다.

[도와…… 줄까……?]

"오! 진짜!?"

[너는 왠지…… 친숙해…… 마음에…… 들어…… 가볍게…… 쩝쩝거릴 것만 주면…… 뛰어 줄게……]

쩝쩝…….

뭔가 유아적인 표현에 어이가 없었지만 이내 진정하고

물었다.

"먹을 걸 달라는 거지!? 뭘 주면 돼?"

몰려오는 천신병들을 보며 묻는다. 랜드웜이 답했다.

[황금…… 2톤…… 정도……]

"……뭐?"

어이가 없어 반문하자 조금 자신감이 없어진 목소리로 다시 말한다.

[모자라면…… 1.5톤 정도로 만족할게……]

"……."

새로 고용된 신화급 펫은.

아주 비싼 몸이셨다.

"죽엇!"

대화를 나누는 사이 천신교의 병력이 랜드웜의 몸을 달려 올라왔다. 얼핏 보기에도 그 수가 수백은 돼 보이는 인간이 제 몸 위를 뛰어다님에도 랜드웜은 신경조차 쓰지 않는 분위기다.

"아니, 1.5톤이! 정도라고! 표현할! 수량이냐?!"

한 마디 한 마디 내뱉으며 토끼발 망치를 휘두른다.

손아귀에 힘이 절로 들어간다.

이제 펫마저 돈을 달라니 왜 힘이 안 들어갈까!

[치명타!]

달려들던 성기사의 머리통을 토끼발 망치로 때려 주자, 머리가 박살 난 성기사가 랜드 웜의 몸통을 따라 주르륵 미끄러졌다.

비록 정예 등급조차 아닌 녀석이지만 나름 소드 마스터와 같은 영웅급 몬스터가 지금의 내겐 너무나 가벼운 상대다.

"빨라! 방어를 굳히고 접근해라!"

"무슨 속도가……!"

천신병들이 당황하는 모습이 보인다. 그러나 퍼져 나가는 공포에도 그들의 돌진 속도는 조금도 줄지 않는다.

난데없이 모습을 드러낸 거대 괴물. 그리고 그 위에 서 있는 강자의 모습에도…… 그들은 전혀 두려워하지 않았다. 혹 두려워하더라도 그 두려움이 움직임을 방해할 정도는 아니다.

어쩌면, 두려워할 복장이 아니라 그런 걸지도 모르겠지만.

"사기 하나는 훌륭하네."

[치명타!][치명타!][치명타!]

토끼발 망치로 마치 두더쥐 잡기를 하듯 달려드는 적들의 골통을 찍어 주었다.

나름대로 빈틈을 노린 모양이지만 빛의 지배자 반지에 달린 실명 면역의 효과 덕분에 상태 이상조차 걸리지 않은 난 별 어려움 없이 대처할 수 있었다.

'아니, 그나저나…… 말을 안 듣는다고?'

신화급 펫의 액티브 스킬로 다 날려 버리려던 계획인 무산되고 말았다.

'내가 초월자가 아니기 때문인가? 하지만 신화급 클래스랑 수호령은 잘 작동하는데 펫만 이렇다고?'

아무래도 독자적인 지능을 가졌다는 게 문제가 되는 듯했다.

"좀 뛰는 정도 가지고 뭐 이리 비싸!"

불만을 토하면서도 떠오르는 생각이 있었다.

'골드를 쏟아 넣으면 되나?'

아르데니아의 골드는 금 함량이 9할이 넘는, 말 그대로 금붙이에 가깝다.

신용 화폐를 작동시키기에 지나치게 무법 천지인 중세 랜드이기 때문인지 아르데니아의 원전인 리벤지가 게임이어서인지는 알 수 없지만 어쨌든 금을 구하기는 어렵지 않다는 말.

하물며 지금 골드는 썩어 넘치는 상황이 아닌가?

그러나 이내 고개를 흔들었다.

'아무리 골드가 썩어 넘쳐도 1.5톤은 낭비야.'

심지어 잔뜩 쌓였던 골드는 상점 NPC를 소환했을 때 싹 다 정리한 상황이다.

물론 다시 쌓이고는 있지만 겨우 스킬 한방에 금 1.5톤을 소모한다니 있을 수 없는 일.

물론 지금 내가 마주한 게 항거할 수 없는 적이고 랜드웜의 일격이 간절히 필요한 상황이면 이야기가 또 달라지겠지만.

'역시 이건 아깝다.'

전투 장비도 안 걸치고 행운템을 걸치고 있는 내게 별다른 메리트가 없는 선택지.

그래도 한 번 더 물어는 보았다.

"그냥은 해 줄 수 없어?"

[없다…… 귀찮다…….]

"……."

다시 봐도 어이가 없는 경우다. 차라리 혼란스러워하거나 적대하면 이해하겠는데 나를 귀찮아하다니.

'그나마 전혀 도움이 안 되는 건 아니라는 사실에 위안을 느껴야 하나?'

무지막지한 크기의 랜드웜이 천신군 중앙에 솟아나자 슬금슬금 완성되었던 포위망이 박살이 났다.

성기사와 천신병들이 랜드 웜의 비늘 위를 달려서 덤벼들지만, 토끼발 망치 앞에서 각개격파될 뿐.

거기에 랜드웜이 하는 일은 하나 더 있었다.

[치명타!][치명타!][치명타!]

투구가 찌그러진 성기사와 천신병들이 비늘 위에서 미끄러져 땅으로 추락한다.

그리고.

푸확!

아이템들이 터져 나온다.

[마력이 깃든 잉크(희귀)]. [마력이 깃든 잉크(영웅)]. [신념의 벨트(희귀)]. [교단의 장갑(고급)]. [강철 검(일반)]……

비처럼 쏟아지는 아이템. 그중에서도 잉크병들은 상당히 먼 땅까지 떨어져 깨질 듯 위태로웠지만.

팟!

랜드웜의 자동 수거 능력이 발동한다. 펫 스킬과는 다르게 녀석이 인지하지 않아도 작동하는 모양.

결국 나는 결정을 내렸다.

"뭐 그럼 됐어. 어려운 일도 아니니 내가 직접 하지."

[좀 많은…… 것…… 같은데……]

"쓸데없는 걱정을."

랜드웜 녀석과 잡담을 나누는 내게 다시 공격이 들어온다. 코끼리 위에서 엉덩이를 떼지 않고 있던 에드워드 역시 자리에서 일어나 빛을 뿜어낸다.

번쩍!

에드워드에게서 뿜어진 빛 줄기를 무리 없이 피해 낸다. 쾌속한 공격이었지만 전투 예지를 가진 날 맞추는 건 불가능하다.

[치명타!][치명타!][치명타!]

랜드웜의 몸을 타고 올라오는 적들의 머리통을 깨주며 점점 강화된 육신의 기능에 익숙해져 간다. 랜드웜의 돌발 행동에 좀 당황했지만 애초에 내 전투력을 시험하기 위한 자리.

드러난 결과는 명확하다.

'이건 정말…… 괴물이 따로 없군.'

감각이 얼마나 예민해졌는지 눈을 감아도 주변 공간 전부가 인식된다.

날아드는 검격은 슬로우 모션 같고 적들을 때리고 펄쩍 펄쩍 뛰어다녀도 몸의 균형이 흐트러지지 않는다.

[치명타!]

성기사 하나가 백색의 보호막을 만들었지만 토끼발 망치는 너무나 자연스럽게 그걸 깨부수고 들어가 머리통을 날려 버렸다.

"뿌우우우!!!"

천인마수. 살인 코끼리가 괴성을 지르며 달려든다. 나는 그대로 토끼 망치를 내질렀다.

“조용히 하세요!”

쿵!!

[치명타!]

그 결과는 처참하다.

콰드득! 촤악!

코끼리의 머리통이 그대로 몸통 안으로 빨려 들어갔다. 코끼리가 끼/코/리가 되며 그 압력을 버티지 못한 몸통이 터지고 내장이 쏟아진다.

심지어 이 녀석은 몬스터가 아니라 마수라서 시간이 지나도 피와 살점이 사라지지도 않는다.

“아! 옆으로 칠걸. 그러면 적어도 머리만 날아갔을 텐데.”

뜻밖의 참사였지만 그래도 결과는 나쁘지 않았다.

“생각보다 딜이 괜찮네.”

토끼발 망치는 모든 클래스가 장비할 수 있는 무기다. 스테이터스상으로 보면 추가 데미지가 아예 없는, 말 그대로 예능용 장비.

리벤지에서는 고레벨 플레이어가 저레벨 몬스터에게서 필요한 아이템을 파밍할 때에나 쓰는 무기지만, 지금은 달랐다.

지금의 내겐 나무 막대기로도 성문을 부술 수 있는 능력이 있기 때문이다.

'게다가 나름 전설템인지라 재질이 오리하르콘이야.'

즉, 아무리 휘둘러도 파괴될 염려가 없다.

[치명타!][치명타!][치명타!]

달려드는 적들의 머리를 깬다. 내가 대놓고 머리만 깨고 있는데 적 중 누구도 막아 내지 못한다.

'느리다. 너무 느려.'

속도의 차이가 너무 난다. 녀석들이 검을 한 번 휘두를 때 농담이 아니고 스무 번도 더 토끼발을 휘두를 수 있었다.

속도가 이렇게 차이 나 버리니 회피도 방어도 불가능.

공격력 차이는 더 심하게 났다. 보호 마법을 걸었거나 중장갑을 착용했다고 해도 그 누구도 일격을 버텨 내질 못하는 수준. 아무런 데미지 보정이 없는 토끼발로도 끔찍할 정도의 위력이었다.

'스텟이…… 정말 깡패는 깡패군.'

아직 몸에 완전히 적응한 게 아님에도 미쳐 버린 수준의 화력.

그뿐이 아니다.

"계속 몰아쳐라! 놈도 결국 지칠 것이다!"

"함성을 질러라! 발목을 잡아! 녀석을 떨어뜨려!"

악쓰는 소리를 들으며 나풀나풀 뛰어다닌다.

'예전부터 난 지구전이 강점이었지.'

로그인&로그아웃 능력이 있는 난 지구와 아르데니아를 오가며 한쪽에서 휴식을 취할 수 있다. 단번에 짓눌려 죽을 정도만 아니라면 적의 수가 아무리 많아도 오래오래 싸워 이길 수 있는 것.

분명 불합리의 극치인 사기 능력이었지만…… 이제는 그 능력이 쓸모없게 느껴진다.

'허, 이건 그냥…… 안 지치는데?'

체력이 600포인트가 넘으니 단기결전에 알맞은 전투법조차 체력이 그냥 소화해 버린다.

팡!

랜드웜에서 뛰어내려 에드워드를 향해 돌격한다. 에드워드는 화려한 오브를 들어 미친 듯 광선을 뿜었지만 나는 너무나 쉽게 그것들을 걷어 내고 녀석에게 접근했다.

"녀석이 교황님을 노린다!"

"막아!"

여기저기에서 악을 쓰는 소리가 들렸지만 천신교에서 가장 강력한 전력은 누구도 아닌 에드워드 본인.

녀석 스스로가 못 막는데 누가 대신 막아 줄 수 있을 리가 없다.

쿠--- 웅!

진각을 밟는다. 진기가 폭발해 온몸을 휘감는 게 느껴

진다.

극도로 위력'만' 증폭시킨, 기형적인 운기 방식이었지만 이 미친 육신은 그 부담을 그냥 버텨 낼 수 있을 정도로 강건하다.

로그인도 로그아웃도 필요 없었다.

"간다."

랜드 브레이커(Land Breaker).

쩍!

[치명타!]

앗. 하는 순간 토끼발이 에드워드의 머리를 때리고 있었다. 변초도 뭣도 없는 직선의 공격.

그러나 그 공격이 너무나 빨라 에드워드는 대응조차 못했다.

800포인트를 넘긴 근력이 선사하는 공격 속도는 그야말로 상식을 벗어난다.

근육이 수축. 이완하는 충격으로 주변 공기가 터져나갈 정도다.

파가각!

에드워드의 몸이 배트에 얻어맞은 야구공처럼 튕겨 날

아 수십 명의 병사를 휩쓸어 버린다. 나는 가볍게 호흡을 골랐다.

"역시 스페셜 보스."

슬쩍 감탄한다.

"한 방에 안 죽네."

번쩍!

에드워드의 몸이 환하게 빛난다. 녀석이 벌떡 일어난다.

"너! 지옥의 불기에 타오를 불신자……."

그러나 그 순간.

쩍!

에드워드의 머리에서 살벌한 소리가 나며 일어났던 에드워드가 다시 쓰러진다.

"아, 그래. 이 스킬이 있었지."

나는 스킬창을 열었다.

[쉐도우 트와이스 (전설)(패시브)]

치명타, 혹은 확정타, 혹은 최대 타격, 혹은 반격, 혹은 상태 이상 공격(기절, 실명, 침묵, 화상, 슬로우 등) 성공 시 1초 뒤에 동일한 데미지가 들어간다.

그리고 또 3초 뒤에 두 공격을 합친 만큼의 데미지가 다시 들어간다.

그렇다.

나는 전설 스킬도 싹 다 익혔다.

지금까지 별 효과를 못 느낀 것은 적들이 다 한 방에 죽었기 때문이다.

샤아앙!

번쩍!

"오오…… 그래도 안 죽네."

에드워드의 몸이 요란스럽게 빛나고 있다.

온갖 힐링 스킬들이 작동하고 있다는 뜻.

과연 플레이어들이 빛쿼벌레라 부를 만한 생명력이다.

"너! 이---!"

"다시 3초."

쩍!

마지막 타격이 들어간다. 전설 스킬은 패시브도 살벌하기 짝이 없다. 게다가 레전더리 오라(전설)에 이모탈 소울(전설)의 효과까지 적용되었으니 지금 가해진 데미지는 나조차도 짐작이 어려울 정도.

놀랍게도 에드워드는 또다시 자리에서 일어났지만…… 지금까지와 달리 악을 쓸 기운도 없어 보인다.

"쿨럭! 컥! 우웨에엑!"

에드워드가 구역질을 하며 피를 토한다. 돌아가 있던 눈이 제자리로 돌아오고 또다시 인지하지 못할 공격이 들어올까 두려운 듯 주변을 살핀다.

분노 조절 장애의 광신도라도 머리통에 망치가 박히면

겁에 질릴 수밖에 없다는 증거이리라.

번쩍! 번쩍! 샤아앙!

녀석에게서 온갖 빛이 터져 나온다. 이제 보니 녀석의 몸에 온갖 아이템들이 장착되어 있었다.

'몬스터가 몬스터를 잡으면 아이템 드랍이 안 될 텐데…… 뭐, 방법이야 만들면 그만이겠지.'

툭.

나는 가볍게 랜드웜의 비늘을 박차 땅에 내려섰다. 그러곤 저 멀리서 번쩍이는 빛까지의 거리를 가늠한다.

"으흠…… 그게 여기서 저기까지 닿을까?"

"공격해! 쉴 틈을 주지 마라!"

"방진을 짜!"

"교황님이 회복할 시간을 벌어라!!!"

땅에 내려선 나를 향해 군단이 몰려 온다. 그야말로 휴일의 아울렛을 방불케 하는 인구 밀집!

그러나 나는 땅을 박차 자리를 피하는 대신.

스택이 풀로 찬 두 스킬을 작동시키며 땅을 디뎠다.

쿵!

온몸에 심상치 않은 스킬 이펙트가 어린다. 그리고 그 상태에서 온몸에 내공을 휘둘렀다.

랜드 브레이커(Land Breaker).

랜드 브레이커의 효과로 인해 내 몸이 강하게 고정된다.

단 하나로 이루어진 초식에 왜 그런 효과가 있냐고 의문을 가질 수도 있겠지만, 괴물 같은 근력을 가진 거인들이 무기를 휘두를 때마다 자신의 거대한 몸이 튕겨 나가는 경험을 한다는 걸 안다면 그게 당연한 일이라는 사실을 깨달을 수 있으리라.

랜드 브레이커의 구결에서 3분의 1에 달하는 영역이, 자신의 몸을 고정하는 것에 할당되어 있다. 괴물 같은 근력을 100% 활용하기 위해서는 필연적인 일이다.

뻑!

지나칠 정도의 데미지가 가장 가까이에 있던 천신병의 머리를 때리고.

[천검-백인참(百人斬)]

[천지를 가르는 검]

그대로.

세상이 정지한다.

"……와."

천검 백인참은 스킬 발동 후 적에게 데미지를 주는 데 성공하면 동일한 데미지를 주변에 있는 최대 100개체에 적용하는 효과를 가지고 있다.

즉, 내가 적 하나의 목을 치면 주위에 있는 100명의 목이 날아가는 것.

사실 이것만 해도 사기다. 한 명을 베었는데 왜 100명이 죽는단 말인가?

그러나…… 여기에 신화급 직업 스킬, 천지를 가르는 검이 깃들게 되면 상황은 더 심각해진다.

그렇다.

천지를 가르는 검이 작동하게 되면 적용되는 100회 치의 치명타 데미지는…… 백인참 사용 시 100명에게 각각 적용된다.

'미친 소리지.'

천지를 가르는 검이 작동해 적이 죽으면 남는 데미지가 10미터 안쪽의 다른 적에게로 넘어가게 되는데, 이와 같은 과정이 100마리의 몬스터에게 동시에 일어난다.

옆 몬스터에게, 다시 옆 몬스터에게……

혹시 딜이 다 소모돼서 아슬하게 생명력이 조금 남는다면?

그러면 백인참으로 분열된 다른 천지를 가르는 검이 그 빈사 상태의 적을 죽이고 다른 쪽으로 퍼져 나간다.

이 모든 과정이.

찰나에 가까운 시간 안에 이루어진다.

누군가 멀리서 전장을 보았다면……. 아마도 그는 동시에 모든 병력이 쓰러졌다고 인지할 것이다.

[우…… 와…… 이건…… 제법……]

랜드웜조차 깜짝 놀란 듯 감탄하는 순간.

우르르!

터더덩!

전장에서 악을 쓰던 수만 명의 병사 전부가 머리를 잃고 쓰러진다. 소란스럽던 전장에 침묵이 내려앉는다.

그렇다.

단 한 번의 타격에…… 수만 명이 넘는 병력이 전멸했다.

[인벤토리 중량이 75%를 초과했습니다!]

[인벤토리 중량이 75%를 초과하여 이동 속도가 느려집니다!]

[인벤토리 중량이 100%를 초과했습니다!]

[인벤토리 중량이 100%를 초과하여 이동 속도가 극도로 느려지고 체력, 생명력, 마나가 천천히 감소합니다!]

후두두두두!

떨어지는 아이템들은 이미 내 알량한 인벤토리로 감당할 수 없는 수준. 자동 수거 능력으로 끌려 온 아이템들이 인벤토리에 들어가지 못하고 내 머리 위에 비처럼 쏟아진다.

나는 황급히 자리를 이동했지만, 마치 추적하듯 아이템이 계속 쏟아진다.

후두두둑!

와르르!

계속 걷는다. 계속 쏟아진다.

갑자기 쏟아진 소나기는, 그렇게 한참이나 그치질 않았다.

"와."

결국, 아이템은 무슨 산맥처럼 주욱 이어지는 형태로 쌓였다. 아무리 만 단위의 몬스터를 잡아도 말이 안 되는 규모였지만.

"행운템이 좋긴 좋네."

나는 산처럼 쌓여 있는 아이템 중 투구 하나를 주워 들었다. 수많은 아이템 중 단 하나였지만 놀라운 동체 시력은 귀신처럼 그것을 잡아 낸 상태다.

가디언 헬멧(영웅)

방어력 +8

체력 +15

마나 회복 +15

재질 : 철

무게 : 1.2킬로그램

"와, 영웅템이 다 떨어지네."

그러나 진짜 놀라운 건 공격 한 번에 영웅 아이템이 드랍 될 정도로 적을 쓸어 버리는 스킬 구성이다.

“이게 버그도 스킬 악용도 아니라니…….”

진짜 밸런스가 미쳐 돌아가는 스킬이다.

농담이 아니라 적당한 사냥터에서 제대로 터지면 한순간 사냥터가 텅 비어 버리는 상황도 만들어 낼 수 있는 스킬.

‘아니, 될 수 있는 게 아니라…… 그렇게 되라고 만든 스킬 구성이야.’

스킬이 영향을 끼치는 범위를 제한할 수가 없다.

천지를 가르는 검이 터지고 그렇게 사냥터에 있는 몬스터가 싹 쓸려 나가는 모습을 다른 플레이어가 보게 만들겠다는 강렬한 의도가 느껴진다.

‘그 결과는 경탄과 탄성일 수도, 질시와 분쟁일 수도 있겠지.’

그리고 그 두 가지 모두, 네메시스가 원하는 결과였다.

‘심지어, 검신이 신화 클래스 중에서 딱히 사기급도 아니란 말이지.’

고개를 절레절레 흔들며 시스템 UI를 켰다.

그리고 그중 한 부분을 확인했다.

여신의 가호 : 1단계

은총 포인트 : 0.

"아! 가호 생각을 못했네. 템 손실 경 손실이 얼마야 이거……."

경험치 획득량만큼 소모되는 가호는 몇만의 몬스터 학살을 견디지 못했다. 9999포인트까지 꽉 채워 놨음에도 이 지경.

나는 캐시숍에서 [용옥(30일)]을 구매했다. 은총 포인트가 200포인트 이하로 떨어지지 않게 하는 캐시 아이템이었다.

"겨우 5만 5천 원. 완전 가성비 아이템이네."

그러나 이대로 멈추면 여신의 가호가 2단계에 고정된다는 걸 알고 있는 나는 추가로 가지고 있던 아이템들을 사용했다.

[가호의 성배를 사용하셨습니다! 여신의 가호 200->250]

[가호의 성배를 사용하셨습니다! 여신의 가호 250->300]

……

[가호의 성물을 사용하셨습니다! 여신의 가호 9800->9900]

[가호의 성물을 사용하셨습니다! 여신의 가호 9900->9999]

은총 포인트를 풀로 채운다.

여신의 가호가 3단계, 그러니까 경험치 획득률 700%. 아이템 획득률 500% 골드 획득률 300%가 유지된다는 뜻.

"좋아, 모든 준비 끝!"

나는 가뿐한 마음으로 발걸음을 옮겼다. 아이템의 산을 가로질러 도착한 곳은 치명타에 휩쓸린 코끼리 마수의 시체 무더기 앞.

사망 후 일정 시간이 지나면 먼지처럼 흩어지는 몬스터와 달리 온전히 아르데니아의 존재인 마수의 피와 살점은 사라지지 않고 주변을 적시고 있다.

번쩍!

쏘아지는 빛을, 난 가볍게 상체를 흔드는 것만으로 피해 냈다.

"너, 너, 네놈…… 헉헉……."

시체 무더기 사이에서 에드워드가 몸을 일으킨다. 놀랍게도 그는 이번에도 살아남았다. 정말 끈질긴 생명력.

그러나…… 수만 명이 넘던 군세 중 생존자는 그 한 명뿐.

천신교의 군대는 그야말로 깔끔하게 전멸했다.

칭! 치잉! 촤앙!

에드워드의 몸에서 연신 빛이 터져 나온다. 다수의 힐링 스킬이 빈사 상태였던 육신을 복구한다.

그러나…… 그럼에도 그가 입은 타격은 너무 컸고.

나는 그가 완전히 회복될 때까지 기다려 줄 생각이 없었다.

"굳이 길게 이야기는 안 하겠어. 어차피 또 보게 될 텐데."

그리고 그때의 에드워드는 지금 이 상황을 기억하지 못

할 것이다. 자신과 자신의 군단이 이곳에 쳐들어갔다가 죽었다는 사실만 전달받겠지.

나는 토끼발 망치를 들어 올렸다.

"또 보자."

"너……! 네놈! 기억해라! 내가 다시……!"

퍼억!

[축하합니다! 한 길드가 광신자를 해치웠습니다!]

[최고 기여도. 한재연.]

월드 메시지와 함께 하늘에서 수백 개의 아이템이 쏟아진다.

[광신자의 공훈 상자(전설)]. [영광의 홀(전설)]. [지엄한 명령(전설)]. [섬광의 창(영웅)]. [신성방패(영웅)]. [가디언 아머 제작 레시피(영웅)]. [빛의 목걸이(희귀)]……

나는 빠르게 아이템 목록을 확인했다.

웃음이 절로 나온다. 은총 포인트를 채운 보람이 있다.

"크! 전설템이 두 개나 떨어지네."

그뿐이 아니다. 나는 새로이 생겨난 아이템 더미에서 [광신자의 공훈 상자(전설)]를 찾아 열었다.

[롱기누스(전설). 지엄한 명령 제작 레시피(전설). 샤이닝 소드 제작 레시피(영웅). 빛의 목걸이(희귀). 명예 코인 4500개를 획득하셨습니다!]

전과 다르게 이번엔 상자에서도 전설이 나왔다. 결과적으로 전설템 3개와 전설 레시피 1개가 나온 셈이다.

"흠, 조만간 기사들을 영웅템으로 무장시키고 가신들에게 전설템을 줄 수도 있겠는데……."

지금까지는 어림없는 이야기였는데 요번 전투의 드랍템들을 보니 충분히 가능해 보인다.

"그게 아니면 성마다 전설 무기 하나씩 비치시켜서 그 성에서 가장 강한 플레이어가 그 장비를 영구 대여 받는 방식도 괜찮겠지…… 그 장비를 소지하고 있는 동안은 그 성을 지켜야 하는 식이면……."

이런저런 고민을 하는 사이 남문이 열리고 병사들이 쏟아져 나온다. 싸우기 위함은 아니다. 그 증거로 그들은 무장을 갖추기보다 마차나 수레 등을 끌고 있다.

[엄청…… 많다…….]

랜드웜은 산처럼 쌓여 있는 아이템을 보고 있다. 눈이 있는지 없는지 모를 녀석은 그중에서도 갑주나 무기 같은 금속류에 특히 관심이 많아 보였다.

[이거…… 먹어도…… 돼……?]

"당연히 안 되지."

내 즉답에 거대한 랜드웜의 몸이 움찔한다.

[치사해…….]

"점프 한 번에 황금 1.5톤을 달라는 쪽이 더 치사해."

그렇게 대답하며 아이언 캐슬을 본다. 조금이라도 위험하면 쏘아 올리라 했던 신호탄이 터지지 않는 걸 보아하니 다들 잘 막고 있는 모양이다.

'썬더버드가 전투에 참여하지 않은 건가?'

의아해 하고 있을 때 랜드웜이 슬쩍 몸을 움직였다.

쿠구궁!

워낙 큰 녀석이라 고개를 모로 꼬는 것만으로도 땅이 흔들리고 산처럼 쌓여 있던 아이템의 산이 무너져 내린다.

녀석이 그 집채만 한 머리를 슥 내밀며 말한다.

[큰일났다! 이거 쏟아져! 역시 너무 많다!]

느릿느릿하던 말투가 빨라진다. 나는 녀석이 군침을 삼키고 있다는 사실을 깨닫고 고개를 흔들었다.

"너무 많긴. 네가 먹으면 두세 입이면 끝날 거야."

[그러니 두세 입이 아니라 한 입만…….]

진짜 양심 없는 소리. 결국 특단의 조치를 취할 수밖에 없었다.

"됐고. 돌아가!"

[돌아……?]

팟!

순간 빌딩처럼 서 있던 랜드웜의 모습이 사라진다.

"천만다행히도 소환 취소는 되네."

이게 안 되면 여러모로 큰일이었을 것이다. 예전과 비교할 수 없이 강해진 나지만 신화급 펫은 솔직히 장담이 어려웠다.

"충성! 아이언 캐슬 1군단……."

"아아. 그래. 다 실어서 창고에 옮겨놔."

"충!"

나는 병사들의 아이템을 종류별로 분류하는 모습을 잠시 지켜보았다. 녀석들이 믿을 수 없다는 표정으로 수군거리는 소리가 들린다.

"황제 폐하께서 강하신 거야 당연히 알고 있었지만 아무리 그래도 혼자서 다 쓸어 버리실 줄이야……."

"만인지적(萬人之敵). 아니, 이 정도면 그조차도 한참 뛰어넘어."

"알림창 좀 봐. 대륙의 모든 인간이 폐하의 이름을 부르고 있을 거야."

"세상에 알림창이 세 페이지도 넘어…… 최고의 사냥팀도 알림창에 이름을 올리기가 하늘에 별 따기인데……."

녀석들의 중얼거림에 나는 알림창을 확인했다.

〈아이언 캐슬에서 한재연 님이 가디언 헬멧(영웅)을 획득하였습니다!〉

〈아이언 캐슬에서 한재연 님이 티르빙(영웅)을 획득하였습니다!〉

〈아이언 캐슬에서 한재연 님이 광전사의 검(희귀)을 획득하였습니다!〉

〈아이언 캐슬에서 한재연 님이 퍼플 소드(희귀)를 획득하였습니다!〉

〈아이언 캐슬에서…… 〉

월드 메시지가 빼곡히 쌓여 있다.

드랍률이 극악하기로 유명한 리벤지의 시스템이었지만 몇만이 넘는 적을 행운 장비로 도배하고 쓸어버리니 희귀급 이상의 아이템이 잔뜩 드랍된 것이다.

"자기 PR 어마어마하게 했네."

플레이어가 아니어도 월드 메시지는 볼 수 있으니 사실상 온 대륙이 내 이름을 읽은 상황이다. 심지어 난 신화급 클래스, 수호령, 펫마저 뽑지 않았던가?

신화급의 그 요란스럽고 그 심상치 않은 문구를 본 사람들이 무슨 생각을 할지는 안 봐도 뻔하다.

"그나저나."

나는 걸음을 옮겨 평원 한가운데 생긴 거대한 구멍을 내려다보았다.

"역시 남는군……."

리벤지에서는 랜드웜을 타고 도시를 가로질러도 가로

등 하나 넘어지지 않는다. 빌딩만 한 사이즈의 덩치가 구불구불 대지를 헤집어도 주변 환경에는 아무런 변화가 없는 것.

당연한 말이지만.

'게임적 허용이지.'

설정에 그런 내용은 없지만 게임 플레이상에서는 그렇게 적용된다.

아무리 신화급 펫이라도 단지 이동하는 것만으로 건물을 파괴하고 지형을 변화시키면 다른 플레이어들이 게임을 어떻게 하겠는가?

반면 아르데니아의 상황은 다르다.

게임적 허용이란 건 없다.

"깊고……."

랜드웜이 올라왔던 구멍으로 들어간다. 거의 수직으로 떨어지던 경사는 수십 미터쯤 내려왔을 때 완만하게 변했다.

그리고 마침내 도착한 막다른 길은.

"……넓네."

대형 강당 정도 되는 넓이에 신음한다.

'랜드웜 녀석이 그냥 모습을 드러내는 것만으로 이만한 공간이 생기다니.'

놀라운 것을 그것만이 아니다.

쿵!

벽을 가볍게 때리자 넓은 공간 전체가 울렸지만 그럼에도 무너질 기미가 없다.

"그렇군. 그냥 땅을 판 게 아니야. 땅의 속성력을 이용했어."

놀랍게도 랜드웜은 자신을 가로막는 토양을 사방으로 [압축]시키며 전진했다.

그렇게 압축된 벽은 주변 토양보다 더 단단해지니, 녀석이 사라진 후에도 터널이 무너지지 않는다.

팟!

지상으로 올라오며 생각한다.

'이 녀석…… 잘만 구슬리면 혼자서 지하도도 만들 수 있겠는데?'

그렇게 생각하며 펫 창을 열었다.

가장 위에 있는 랜드웜을 패스하고 카심을 소환했다.

펄럭!

내가 등에 올라타자 카심이 허리를 확 숙였다가, 그대로 뛰었다.

쾅!

하늘로 날아오른 카심이 포효한다.

"크아앙--!"

"그래그래, 착하다. 랜드웜 녀석도 너처럼 말 잘 들으면 참 좋을 텐데."

카심의 등을 토닥였지만 대단한 반응은 없다.

어느 정도의 상호 작용은 가능하지만 펫들의 반응 체계는 기본적으로 알고리즘의 형태를 벗어나지 않는다.

명령에 곧잘 따르고 똑똑해 보이지만 자세히 보면 어떤 행동 원리 위에서 정해진 대로만 움직인다는 사실을 알 수 있으리라.

'굳이 말하자면…… 게임 속 펫과 크게 다르지 않다.'

그런 면에서 지성을 가진 랜드웜은 대단히 예외적인 사례였다.

'설마 신화 펫들은 다 이런 건가? 이거야 원. 얻은 신화급 펫이 에드워드였으면 꽤 난감했을지도 모르겠…….'

번쩍!

그때 서문에서 눈부신 빛이 터져 나온다.

"뭐야! 설마 썬더버드가 아직도 있는 건가!? 아니 왜 신호탄을 안 쏴!?"

신호탄이 터지면 바로 썬더버드를 잡으러 가기로 했던 내 입장에서는 이해할 수 없는 일이었다.

그러나 그 의문은 곧 해결되었다.

[축하합니다! 한 길드가 썬더버드를 해치웠습니다!]

[최고 기여도. 헤이즈 스타라이트.]

"아니……."

〈아이언 캐슬에서 헤이즈 스타라이트 님이 천둥검(전설)을 획득하였습니다!〉

〈아이언 캐슬에서 헤이즈 스타라이트 님이 썬더버드의 공훈 상자(전설)을 획득하였습니다!〉

〈아이언 캐슬에서 스틸스톤 님이 썬더 블래스터(영웅)를 획득하였습니다!〉

〈아이언 캐슬에서 스틸스톤 님이 라이트닝 보우(희귀)를 획득하였습니다!〉

〈아이언 캐슬 헌드레드 실버소드 님이 마나의 미스릴 셔츠(희귀)를 획득하셨습니다!〉

〈아이언 캐슬에서…… 〉

나는 잠시 멍하니 월드 메시지를 바라만 보았다.

"아니, 뭐라고?"

이건 진짜 깜짝 놀랄 정보다.

"헤이즈가 썬더버드를 잡을 정도는 아닐 텐데?"

물론 헤이즈는 아르데니아에서는 전설로만 여겨지던 소드 마스터다. 인류제국의 두 번째 실력자라고 할 수 있겠지.

그러나…… 말이 좋아서 두 번째지 그녀와 나의 전투력 차이는 너무나 막대하다. 혼자 쳐들어와 광신자의 머리를 박살 낸 나와는 급이 다르다.

'헤이즈가 강하긴 해도 굳이 따지자면 영웅급일 뿐인

데…… 전설 정예도, 전설 보스도 아닌 스페셜 보스를 잡았다고? 심지어 썬더버드는 비행형 몬스터인데?'

나는 길드 타워로 향하던 카심의 머리를 서문으로 향하게 한 뒤 도시를 내려다보았다.

전투는 거의 끝나 있다.

저 아래로 추락한 와이번의 명줄을 끊고 있는 기사들의 모습이 보인다. 와이번은 몸을 일으켜 저항했지만 쏟아지는 사격을 얻어맞은 데다 추락의 충격을 받은 몸으로는 기사의 공격을 이겨 내지 못하고 있었다.

"아차."

나는 인벤토리를 열어 누가 보기 전에 장비를 교체했다. 어차피 볼 사람은 다 봤다 하더라도 굳이 이 복장으로 돌아다닐 필요까지는 없다.

카심이 서문에 도착하기까지는 그리 오랜 시간이 필요치 않았다.

저 아래로 널브러져 있는 병사와 기사들, 그 사이를 바쁘게 뛰어다니는 힐러, 그리고 긴급히 동원된 노동자들의 모습이 보인다.

"송편 가져올 수 있는 만큼 가져와! 기사님들한테 쓸 거라고 하고!"

"외과 수술은 실내에 들어가서 해! 상처에 먼지가 들어가잖아!"

"개인 포션이라도 써! 나중에 청구하면 1.5배로 보상해 준다!"

정신없는 분위기였지만 생각보다 나쁘지 않은 광경이다. 사방에서 터지는 신음은 아이러니하게도 사망자가 그리 많지 않다는 사실을 뜻하기 때문이다.

무엇보다 이곳은 인력과 물자가 쌓여 있는 성 내부. 후속 조치가 신속하게 이루어지고 있다.

'매일 훈련만 시킨 보람이 있네.'

와일드 보어에서 끝없이 생산되는 멧돼지 고기, 몬스터에게서 드랍되는 일반 등급의 천옷과 가죽옷, 그리고 성을 건설할 때 함께 생겨나는 건물로 인해 인류제국은 국민의 의식주 모두를 완벽하게 책임질 수 있다.

즉, 인류제국의 국민은 지금까지 살아오며 경험한 가혹한 노동에서 완전히 자유로운 존재가 되었다는 뜻.

하지만 마냥 편한 나라는 없는 법.

가혹한 노동에 시달리던 그들은.

이제 가혹한 훈련에 시달리게 되었다.

'어서 유격장을 완성해야 하는데…… 인류제국의 국민이라면 1년에 한 달은 유격장에서 살게 해야 해…….'

지구에서 행했다면 쿠데타가 일어날 만한 계획이지만 이곳은 지구가 아니라 아르데니아가 아니던가?

나는 목적지에 도착해 카심의 소환을 취소했다.

탁.

땅에 내려서자 중갑주를 걸친 기사가 달려와 예를 표한다.

"충! 아이언 캐슬 1군단 서문 수문장 파이브입니다. 현재 전투 종료 후 뒤처리 중입니다."

"피해는?"

"지금까지 확인된 바로 사망 87명, 중상 241명, 경상 458명입니다."

"피해가 크군……."

내 말에 전혀 동의하지 못하는 듯 서문 수문장의 눈이 동그래진다.

'하긴.'

수만 마리가 넘는, 그것도 하나같이 거대한 덩치를 가지고 강력한 이능을 발휘하는 몬스터를 전멸시키고 고작 87명의 사망자면 어마어마한 대승이라고 보는 게 정상이겠지.

'하지만 상대는 리젠이 되는 몬스터다. 신화급 성도 있는데 피해는 더 적어야 해.'

그렇게 생각하며 부상자들에게로 이동한다.

그들의 한가운데에는 피부가 새카맣게 익어 버린 헤이즈가 있었다.

"왔어?"

"괜찮아?"

"괜찮지는 않지만…… 기분은 날아갈 것 같아. 설마 내가 저 썬더버…… 콜록!"

송편을 꾸역꾸역 씹어 삼키고 있던 헤이즈의 몸이 들썩

인다.

나는 그녀의 입에서 튀어 나간 송편 조각을 잡아채 그녀의 입에 집어넣었다.

버프 음식은 한 조각만 흘려도 그 효과가 작동하지 않는다.

"천천히 먹어."

"당장 죽을 거 같으니 마음이 급해지네…… 헥헥!"

그녀는 기어코 송편을 다 씹어 삼킨 뒤 포션을 마셔 그것을 넘겼다.

영웅급 송편의 효과가 발동하자 새카맣게 타 버렸던 피부가 떨어져 나가고 그 아래로 새살이 돋아나기 시작한다. 그 모습을 본 헤이즈가 혀를 내두른다.

"와, 예전에 이런 상처를 입었으면 죽거나 불구가 되었을 텐데."

이번 추석에 미친 듯이 쟁여 놓은 추석 송편의 이득은 나보다 내 병사들이 톡톡히 보고 있다.

당장 오늘만 해도 송편이 없었다면 훨씬 많은 사망자가 나왔을 것이다.

"그나저나 운이 좋았어."

나는 헤이즈에게서 고개를 돌렸다. 거기에는 가부좌를 취하고 있는 스틸스톤이 있었다.

"정말……."

포션을 몸에 뿌리며 헤이즈가 말했다.

“정말로 썬더버드를 잡을 수 있을 거라고는 생각도 못 했는데.”

뜻밖에도 헤이즈의 표정에서는 온갖 감정이 스쳐 지나간다. 후련함, 슬픔, 허탈함 등등…….

나는 이내 그 이유를 짐작할 수 있었다.

“싸워 본 적 있나 보네.”

“싸웠다고 할 수 있으려나. 쫓기고, 동료를 잃고, 삶의 터전을 파괴당하고, 하늘에서 천둥이 치면 그림자로 숨고…….”

힘없이 말하며 성벽에 등을 기댄다.

다 파괴된 갑옷 때문에 눈 둘 데가 없는지라 인벤토리에서 로브 하나를 꺼내 덮어 주었다.

“고마워.”

헤이즈는 피식 웃더니 말을 이어 나갔다.

“다시 말하지만, 정말로 운이 좋았어. 재앙급, 그러니까 스페셜 보스라 불리는 녀석을 다 만나 보진 못했지만 적어도 천둥새. 아, 계속 용어가 엉키네.”

헤이즈가 짜증을 부렸다.

“회귀 전에는 그렇게 부른 모양이지?”

“그래. 그때는 지금처럼 괴물들의 머리 위에 글자도 쓰여 있지 않았고 클래스라든가 하는 것도 없었어. 녀석들도 죽으면 시체를 남겼고 부활 같은 걸 하는 일도 없었지.”

헤이즈가 말하는 것은 리벤지의 [시나리오]이다.

게임에서야 아이템이 드랍되고 경험치를 얻어 레벨이 오르지만 그건 사실, 플레이어를 위한 시스템일 뿐.

게임 시나리오 자체에서 [레벨], [아이템 드랍] 등의 요소를 언급하는 경우는 거의 없다. 그런 게임도 있겠지만 적어도 리벤지는 아니었다.

아마 헤이즈가 살다 온 세상은 지금보다 조금 더 현실적인 곳이었을 것이다.

"하여튼."

헤이즈가 고개를 흔들더니 다시 말했다.

"운이 좋았어. 나는 적어도 썬더버드와 에드워드 그 미치광이 새끼의 습성이나 성향을 잘 알고 있었거든. 거기에 이 성이 주는 어드벤티지도 어마어마했지. 쏟아지는 총격은 내가 봐도 살벌한 정도였고 결계가 원거리 공격을 다 차단해 버리니 썬더버드 녀석이 땅에 내려올 수밖에 없었어. 그리고."

거기까지 말하고 고개를 돌린다.

사람들이 모두 비켜선 자리에 가부좌를 취하고 앉아 있는 스틸스톤의 모습이 보인다.

"진짜…… 운이 좋았어. 설마 그 타이밍에……."

고오오오…….

스틸스톤의 몸에 은은한 금빛이 맴돌았다.

역근세수경이 10성에 이르렀다는 증거.

심법의 완성이다.

"소드 마스터의 경지에 이르는 녀석이 나올 줄이야."

"후우……."

스틸스톤이 날숨을 내뱉는다. 그 호흡이 얼마나 깊은지 주변에서 흙먼지가 일 정도. 녀석은 그렇게 몇 번 더 호흡을 고르더니 그대로 눈을 떴다.

"……아."

멍한 표정을 보며 웃는다.

"축하한다."

"감사…… 감사합니다. 폐하."

그렇게 말하고 옆으로 넘어지는 스틸스톤을 부축한다. 그리고 그 광경을 지켜보던 강철 방패의 기사 중 하나에게 넘긴다.

"잠든 거니 숙소에 데려다 놔."

"네, 네. 폐하! 충성!"

까무잡잡한 피부에 훤칠한 키가 인상적인 여기사가 냉큼 달려와 스틸스톤을 부축해 사라진다. 왜인지 스틸스톤을 부축해 사라지는 여기사의 얼굴이 희희낙락해 보이지만 기분 탓이겠지.

"뭐, 잘됐군."

내 손으로 썬더버드를 잡지 못한 건 아쉬운 일이다. 아무래도 피해가 발생할 수밖에 없는 데다 전설급 행운템으로 도배한 나와 가호조차 2단계를 넘어서지 못하는 일반

유저 사이에는 어마어마한 드랍률의 차이가 있으니까.

그러나.

'그래도, 잘되었다.'

내 도움 없이 넓은 영역을 차지한 전설급 스페셜 보스를 잡았다는 건 대단히 큰 의미를 가지고 있다.

지금 이 순간.

내 기사와 병사들은 내 도움이 없어도 스페셜 보스를 잡아낼 수 있다는 사실을 증명한 것이기 때문이다.

'성벽에 설치된 포대와 기가스 군단까지 사용한다면 더 더욱 편해질 거야. 그래도 남용하면 안 되겠지만.'

똑같이 공성 오브젝트라 해도 총기와 다르게 포격과 기가스 소환은 경험치를 주지 않는다. 나와 달리 수호령을 성장시키거나 콜렉션을 완성하기 어려운 병사들의 현실을 생각해 보면 아주 큰 피해가 예상될 때만 쓰는 게 최선이리라.

"후. 이제야 좀 살겠다."

시간이 지나 어느 정도 회복된 헤이즈가 자리에서 일어난다.

요번 전투 중 보인 활약이 보통이 아닌 듯 병사들이 경외감 섞인 눈으로 그녀를 바라보는 모습이 보인다.

"흠. 그나저나 이제 마스터가 둘인가……."

내심 감탄하고 있을 때였다.

"보고! 보고입니다!"

외침에 고개를 돌려보니 저 멀리서 말을 탄 병사가 맹렬하게 달려오는 모습이 보인다. 입고 있는 제복과 들고 있는 깃발을 보니 연락병.

내 앞까지 달려온 그는 말에서 내려 예를 취했다.

"충! 빠른매 연대 클라우드 소위입니다!"

"그래. 클라우드 소위. 무슨 일이지?"

"공격입니다! 뇌속성 몬스터들에게 와일드캣 성이 공격당하고 있습니다!"

와일드캣 성의 위치는 Q-19. 이곳 아이언 캐슬에서 300킬로미터 북쪽에 있는 대륙의 최북단.

"공격 시기는?"

내 차분한 태도에 흥분한 상태였던 소위가 호흡을 고르곤 답했다.

"약 3시간 전에 공격이 시작되었습니다. 현재 수성 중입니다."

"적의 숫자는?"

"삼천가량이었습니다."

300킬로미터나 떨어진 곳에서 3시간 만에 이곳까지 왔다는 건 녀석이 텔레포트 스크롤을 사용했다는 뜻이다.

'아니, 텔레포트 스크롤을 쓴 것치고는 너무 늦은 거 아닌가?'

그러나 잘 생각해 보면 텔레포트 스크롤은 성에 하나씩밖에 없다. 예비품이 없는 물건이니 함부로 쓰기 어려웠을 것이다. 일단은 자신들의 힘으로 막아 보자는 생각도 있었을 테고.

그럼에도 결국 왔다는 건 방어가 불가능하다는 판단이 섰다는 말이겠지.

"보고! 보고입니다!"

그때 새로운 병사가 모습을 드러낸다.

"충! 빠른매 연대 모닝스타 소위입니다!"

"공격인가. 어디지?"

"푸른망치성에 삼천가량의 천신 군단이 공격해 들어왔습니다! 방어가 어렵습니다!"

심지어 이것도 끝이 아니었다.

"보고! 보고입니다!"

"헉헉! 큰 송곳니 성이……!"

속속 들어 도착하는 연락병들의 모습에 눈을 가늘게 뜬다.

"하, 이것들이."

동시 공격이다.

만약 아이언 캐슬이 공격당하고 있을 때였다면 이런 소식을 들었어도 뭘 어떻게 할 수가 없었을 것이다. 아니 어쩌면 소식을 받지도 못했을지도 모르지.

"죽을 자리를 찾아왔네."

그러나 상황은 그들의 예상과 다르게 전개되었다. 아이언 캐슬에 쳐들어왔던 병력은 빠르게 몰살당했기 때문이다.

"소식을 전하느라 수고했다. 크게 걱정할 필요는 없을 테니 숙소로 가서 쉬어라."

"예? 하지만 전쟁인데……."

"걱정할 필요 없다."

그렇다. 걱정이 없다. 인류제국은 최후, 최강의 수단을 쓸 생각이니까.

"내가 직접 나서겠다."

카심을 소환하며 생각한다.

오늘이 가기 전에 천지를 가르는 검 10번을 더 쓰겠다고.

＊ ＊ ＊

텔레포트 스크롤.

정말 편한 이동 수단이다. 한 번이라도 가 봤던 지역이라면 어디든 갈 수 있는. 심지어 도시나 마을이 아니더라도 좌표만 입력하면 날아갈 수 있는 아이템.

자신이 마지막으로 머물렀던 도시로 보내 주는 귀환 스크롤이나 자신의 지역에서 무작위 위치로 보내 버리는 랜덤 텔레포트 스크롤은 이 텔레포트 스크롤의 하위 호환에 불과하다.

텔레포트 스크롤이 구하기 쉬웠다면 위 두 아이템은 그냥 없는 거나 다름없겠지.

리벤지 유저라면 여기에서 당연히 해야 할 질문이 있을 것이다.

얼마인데 그래?

내가 지금 캐시숍 켰는데 몇 페이지에 있는 거야?

'그러나 놀랍게도…… 텔레포트 스크롤은 비매품이지.'

리벤지 서비스가 무려 십 주년을 넘어섰음에도 네메시스는 절대 텔레포트 스크롤을 캐시숍에 올리지 않았다.

텔레포트 스크롤은 상점에서 골드로 살 수 있는 랜덤 텔레포트 스크롤이나 드랍으로도 떨어지고 거래도 가능한 귀환 주문서와는 다르다.

텔레포트 스크롤은 오직 일일 퀘스트와 출석 이벤트로만 받을 수 있고, 그마저도 3장까지밖에 누적되지 않는 한정 자원.

'의도된 불편함이야.'

리벤지의 플레이어가 가진 강함은 절대 동등하지 않다. 똑같은 계열의 캐릭터라도 과금액에 따라 1 VS 100도, 1 VS 1000도 가능한 미친 밸런스의 게임.

그 때문에 리벤지는 이동 수단을 철저하게 제한된다. 한 명의 강자가 모든 전장을 누비며 깽판을 치면 전쟁이라는 말이 무색하기 때문이다.

전쟁이 벌어졌을 때 자신의 길드에 속한 랭커를 어디에 투입하고 누구와 싸우게 하고 또 어디로 이동시키는지. 그리고 적 길드의 랭커가 어디에 있는지……

그 모든 것이 전략 전술이 되어 전쟁이 가능하도록 만든다.

'속도는 다른 방식으로 챙기라는 말이지.'

일반 등급의 탈것보다는 고급 등급의 탈것이, 고급 등급의 탈것보다는 희귀 등급의 탈것이 빠르다. 비행 펫은 영웅 등급 이상에서만 등장하는 것 역시 같은 이유.

속도 관련 컬렉션이 있는 것은 물론이고 일정 시간 동안 이동 속도를 빠르게 하는 버프 스톤이나 캐시로만 파는 이속 버프 음식도 있다.

"하."

문득 한숨이 나온다.

"텔레포트 스크롤이 떨어졌네……."

빼앗긴 성을 되찾는 데에는 그리 오랜 시간이 걸리지 않았다. 멀리는 텔리포트 스크롤을 쓰고 가까이는 카심을 타고 날아가서 쓸어 버리면 끝이었기 때문이다.

스페셜 보스가 포함된 수만 마리의 몬스터조차 날려 버린 내게, 수백 수천 정도의 적은 길가에 차이는 돌이나 다름없는 군세.

그러나 성들을 지원하며 깨닫는다.

'혼자서 영토 전체를 수호하는 건 불가능해.'

내가 아무리 강해도 혼자의 몸으로 할 수 있는 일에는 한계가 있다. 내가 모든 일을 다 내팽개치고 1년 내내 순찰만 할 수는 없는 일이 아닌가?

이미 수천이 넘는 사상자가 생겼다.

그중에 클래스를 부여해 힘들게 키운 병사와 기사가 포함되어 있다는 걸 생각해 보면 이건 엄청난 피해였다.

'예정된 피해였어. 내 전력의 대부분이 와일드 보어와 스타팅. 그리고 아이언 캐슬에 집중되어 있으니까…….'

차크라 배터리가 추가된다는 필요로 점령했지만, 아쉽게도 그 효용성이 떨어지는 성들은 관리가 좀 부실할 수밖에 없었다. 그 구성원도 일반인과 상대적으로 약한 플레이어로 채워지게 되었고.

성의 등급도 일반에서 고급 등급에 불과했으니 사실 뚫리는 게 당연한 일이었다.

나는 일단 돈으로 해결할 수 있는 것부터 했다.

[멀끔한 벽돌성(고급)을 훌륭한 요새(희귀)로 업그레이드 합니다!]

[훌륭한 요새(희귀)를 완벽한 요새 도시(영웅)로 업그레이드 합니다!]

[완벽한 요새 도시(영웅)를 고대 신전(전설)으로 업그레이드합니다!]

일단, 내가 차지했던 모든 성을 전설 등급으로 올렸다. 고급 성 업그레이드에 150만 원. 영웅 성 업그레이드에 500만 원. 전설 성 업그레이드에 3,000만 원이라는 미친 가격이었지만 내가 누군가?

나는 수천억 원치 다이아를 가진 자.

삭제&복원 콤보는 그야말로 돈 치트키나 다름없어서 다이아를 물 쓰듯 써도 바닥이 날 기미가 없다.

구구구구궁!

"오, 오오! 성벽이!"

"세상에 건물이……!"

"신이시여! 황제시여!"

"황제여! 인류의 수호신이여!"

성 업그레이드를 처음 보는 사람들의 호들갑을 뒤로하고 날아오른다.

'일단 이 정도만 해도 어느 정도 방어는 된다.'

신화급에 비견될 수준은 아니지만 전설급 성도 무지막지한 방어력과 수성 오브젝트들을 가지고 있다. 사실 영웅급만 해도 중세랜드의 기술로는 함락할 수 없는 난공불락의 요새.

그러나 그럼에도 여전히 문제는 있었다.

띠링! 띠링! 띠링!

카심의 등에 타고 있던 난 품속에 있는 패드를 꺼내 들었다.

'이거라도 많으면 참 편할 텐데.'

아쉽게도 이 패드는 캐시템도 아이템도 아니다. 길드 타워가 건설되며 등장한, 마스터 룸을 꾸미는 [인테리어]

중 하나.

원래는 장식품 역할만 하던 것을 어째서인지 아르데니아에서는 작동해 사용하는 것에 불과하다.

'다음 화점을 먹기까진 늘리는 것도 불가능하니.'

완전히 현대에 들어선 디자인의 신화급 성에나 추가되는 인테리어. 비슷한 아이템을 찾아봤지만 아쉽게도 없다.

애초에 어디서든 채팅과 우편이 가능한 온라인 게임에서 이런 통신 수단을 굳이 마련할 이유가 없으리라.

플라워 : 수송 부대가 공격당했습니다.

나는 카심의 등에 패드를 기대 놓고 타자를 쳤다.

한재연 : 양몰이 연대의 피해는?"

플라워 : 기사 하나와 정예병 스물. 일반병 쉰 명이 희생되었습니다.

한재연 : 끝인가?

플라워 : 대형 농지에 공격이 있었습니다. 인명 피해는 일반인 다섯 정도지만 천신교단의 몬스터들이 농지를 불태웠습니다.

"……."

현재 인류제국의 터전은 대부분 성벽 안쪽에 자리하고 있지만, 그렇다고 모든 인간이 성안에서만 활동할 수는 없었다.

아무리 성이 넓어도 그 안에 마련할 수 있는 농지에는 한계가 있으며 물자가 성과 성 사이를 이동해야 하기 때문이다. 당장 아이언 캐슬의 식량 역시 와일드 보어의 멧돼지 고기가 책임지는 상황이 아니던가?

"정말…… 짜증나게 구는군."

팟!

카심에 탄 그대로 하늘까지 뻗어 있는 빛의 기둥.

그러니까 던전 안으로 들어간다.

[뇌수의 천둥산(고급~영웅)]

쿠르릉……

쾅쾅!

단번에 배경이 변한다. 가파르고 험난해 보이는 거대한 산. 그 꼭대기에 모여 있는 먹구름에서는 연신 벼락이 치고 있다.

살벌한 광경이지만 두려움은 당연히 없다.

정말 살벌한 건 이 환경이 아니라 나라는 인간이기 때문이다.

'좋아. 이게 마지막이군.'

나는 카심을 돌려보낸 뒤 랜드웜을 소환했다.

쿠구구구궁!

천둥산이 흔들린다. 단지 나타나는 것만으로도 주변을 파괴하는 신화적인 존재의 등장!

과연 그 모습을 발견한 몬스터들이 혼비백산한다.

"큰! 큰! 큰 괴물!"

"키에에엑! 저 괴물이 나타났다는 건……."

"인간! 인간! 머리 부수기 인간이 나타났다!"

"도망! 도망……!"

괴성과 비명을 내지르며 흩어지지만 다 소용없는 일이다. 한정된 공간인 던전에서 도망쳐 봐야 어디로 도망가겠는가?

나는 그대로 달려가 녀석들을 따라잡았다.

그리고 피할 수 없는 재앙이 터져 나온다.

[천검-백인참(百人斬)]&[천지를 가르는 검]

랜드 브레이커(Land Breaker).

쩍.

1만 4천 마리의 뇌 속성 몬스터들이 동시에 쓰러진다. 녀석들 모두의 어깨 위에는 머리가 없다.

[인벤토리 중량이 75%를 초과했습니다!]

[인벤토리 중량이 75%를 초과하여 이동 속도가 느려집니다!]

[인벤토리 중량이 100%를 초과했습니다!]

[인벤토리 중량이 100%를 초과하여 이동 속도가 극도로 느려지고 체력, 생명력, 마나가 천천히 감소합니다!]

후두두두둑!

쏟아지는 아이템의 비를 보며 감탄한다.

"와…… 몇 번을 봐도 미쳤다. 진짜."

백인참&천지를 가르는 검은 유명한 사기 콤보이지만 사실 리벤지에선 이 정도 위력까진 나오지 않는다. 두 스킬 모두 [평타]를 재료로 하기 때문이다.

그러나 지금은?

일격필살의 무공인 랜드 브레이커가 함께하고 있다.

"이 정도면 기가스가 없어도 우주 용병 심사에 합격할 수 있을 것 같은데……."

자만이 아니라 이 정도면 초월자 바로 밑의 전투력이라 해도 과언이 아니다. 물론 지구에서는 리벤지의 장비들을 사용할 수 없다는 제한이 있지만.

'지구에서는 그냥 첨단 현대 병기를 쓰면 되니까.'

[뇌수의 천둥산(고급~영웅)의 헬 난이도가 공략되었습니다!]

[조건을 우선 완료한 길드부터 공성전을 신청할 수 있습니다!]

[초라한 토성(일반)이 등장합니다!]

저 멀리서 생겨난 초라한 성. 그리고 그 위에서 이쪽을 향해 삿대질하고 있는 몬스터들의 모습을 보고 있을 때.

가만히 서서 아이템 회수 셔틀을 하고 있던 랜드웜이 말한다.

[장비 분류해. 빨리.]

"너 왜 점점 말이 빨라지냐?"

[글쎄. 잘 먹어서?]

제국에서 2칸 내 착점을 청소할 때마다 꼬박꼬박 랜드웜을 소환하고 있다.

아이템 자동 습득 기능을 가진 펫은 많지만 지금처럼 만 단위의 몬스터를 쓸어버리는 상황엔 시야 전체를 커버하는 습득 기능이 필요하기 때문이다.

우르르!

나는 아무렇게 들어차 있는 인벤토리를 깔끔히 비운 뒤, 산처럼 쌓여 있는 아이템 중 희귀 등급 이상의 고급품과 부피가 작은 장신구, 골드, 소모품 등을 찾아 챙겼다.

그리고 고개를 든다.

"이제 먹어."

[~♬♪]

뭔가 흥겨운 듯한 영파와 함께 랜드웜의 고개가 움직인다.

와득!

산처럼 쌓여 있던 아이템이 뭉텅이로 사라진다.

"와……."

족히 수천 명은 무장시킬 수 있는 갑옷과 무기들이 한 끼 식사로 전락하는 순간이었다.

단단하게 담금질 된 병기를 무슨 과자처럼 뜯어 먹는 꼴을 보니 저 녀석에게는 검기조차 씨알이 안 먹힐 거라, 능히 짐작할 수 있었다.

"아니, 그런데 너 같은 힘이 있으면 아무 광산이나 파고 들어가서 광석을 흡수하는 게 낫지 않아? 여기에는 금광도 좀 있는데."

내 말에 아이템의 산을 덥석덥석 집어먹던 랜드웜이 답한다.

[인간도 생고기를 씹어 먹지 않고 조리된 음식을 먹지 않나?]

"……."

듣고 보니 맞는 말이다.

'아, 그래도 아깝다.'

사라지는 아이템들을 보니 속이 쓰리다.

여기가 인류제국 근방이었으면 어림도 없었을 일.

그러나 여기는 인류제국에서 200킬로미터나 떨어진 곳이고 난 하루에도 몇 개나 되는 착점을 쓸어 버리는 중이니, 수송단을 데리고 다닐 수도 없다.

이러나저러나 인벤토리가 딸려 내다 버리는 것보단 랜드웜 녀석에게 먹이는 편이 더 나으리라.

"어쨌든 내가 이렇게 먹여 줬으니, 말 듣는 거다."

[엑…….]

"엑은 뭐야. 엑은!"

뭐 이런 뻔뻔한 녀석이 다 있지? 한 대 때려 주려다 별 타격이 없을 것 같아서 참았다.

랜드웜이 잠시 고민하다가 물었다.

[말 들으라는 게 점프하라는 거지?]

랜드웜의 펫 스킬, [대파괴]에 대한 이야기다.

랜드웜의 몸이 스프링처럼 강하게 응축되었다가 튀어 올라 1킬로미터 상공에서 경화(硬化)한 후 낙하하는 스킬.

게임에서는 그냥 초광범위에 괴멸적인 데미지를 주는 것으로 끝이었지만.

'현실에서는 더 심하겠지.'

농담이 아니라 웬만한 운석이 떨어지는 것보다 더 심할 것이다. 엔간한 지각 변동과도 급이 다른 파괴를 일으켜 원래의 지형을 영영 알아볼 수 없게 되리라.

"아니. 사실 지금 딜이 부족한 상황은 아니야."

천원에 쳐들어갈 것도 아니니 백인참&천지검 콤보면 다 쓸어 버릴 수 있다.

오히려 랜드웜에게 기대하는 건 다른 쪽이다.

"너, 얼마나 깊이 파고들 수 있어?"

[땅속으로? 뭐 내키는 대로 가는 편이지. 다만 너무 내려가면 그만큼 압력과 열기가 강해서 적당히 가는 편이야.]

"흠. 좋아."

녀석의 말에 씩 웃는다.

그리고 말했다.

"나랑 산책 좀 하자."

[산책?]

"그래. 일단…… 한 1,000킬로미터 정도."

* * *

아이언 캐슬 동남부 지역에 있던 건물을 싹 철거해 넓은 공간을 만들었다.

신화급 성 자체가 워낙에 넓고 하우징 용도의 집이 넘쳐 나는 데다 인류제국의 모든 성, 모든 건물은 국가의 소유이기에 철거에 별다른 어려움은 없었다.

새로이 만들어진 가로세로 500미터 넓이의 공터.

그리고 그 한가운데에서.

쿠구궁…….

그그극…….

"오, 온다!"

"넘어지지 않게 뭐라도 잡고 있어!"

콰득!

거대한 머리가 등장한다.

"크, 크다. 정말 커!"

"이렇게 이런 생물이……."

랜드웜의 머리가 땅을 뚫고 모습을 드러낸다. 겨우 머리가 나왔을 뿐인데 양옆에 있는 건물보다도 높은 압도적 크기.

"깊이는 얼마나 팠지?"

내 물음에 랜드웜이 고개를 숙인다.

그것만으로도 주변에 바람이 불 정도다.

[어, 음…… 머리부터 가슴까지?]

"어디까지가 가슴인데?"

[흠. 머리 네 개 반?]

"좋아. 그러면 이대로 쑥 내려가서 그거 두 배 정도 더 파. 머리 하나 간격으로 한 번씩 똬리도 틀어 주고. 야! 더 천천히 움직여! 바닥에 금 가면 처음부터 다시야!"

[하…… 그거 좀 먹었다고 이렇게 부려 먹나…… 나 이제 잘 시간인데.]

"헛소리 말고…… 더더더! 더더더더!"

생체 굴착기 랜드웜의 힘으로 100미터짜리 수직 터널을 팠다.

당연한 말이지만 통행용이 아닌 환기용이다.

'나중에 통로에 마법을 걸어서 위쪽 공기를 아래로 쏘아 보내게 만들어야지……. 하. 관련 술식 아르데니아에는 당연히 없겠지? 지구에 들러야겠네.'

그리고 그 바로 옆에는 대각선으로 터널이 뚫린다.

그 각도가 대략 20도 정도 되는 경사다.

"좋아. 이 정도면 걸어 다닐 만하겠다."

욕심 같아서는 계단으로 만들고 싶지만 아무리 랜드웜이 대지의 속성력을 가지고 있다 해도 그 정도까지 섬세한 작업은 불가능하다. 인간의 보폭 따위, 랜드웜에겐 우리가 보는 머리카락 굵기보다도 가늘 테니까.

"우…… 와. 이거 진짜 어마어마하네."

완전히 회복된 헤이즈가 수직 터널 혹은 수직갱이라 부를 만한 구덩이 앞에서 침음성을 흘렸다.

쿠구궁!

쿠구구궁!

저 멀리서 바위가 으스러지는 소리가 들린다.

랜드웜이 지하 3층을 만드는 소리다.

"빠르지?"

"빠른 정도가 아니지. 인력으로 이런 작업을 하려고 했으면 10년도 더 걸렸을 텐데."

헤이즈가 놀라고 있는 사이 저 멀리서 인부들을 헤치고 플라워가 모습을 드러낸다.

몸에 착 달라붙는 H스커트가 인상적인 정장을 입고 있는 그녀의 모습은 중세의 인부들 사이에서 너무도 뚜렷이 존재감을 과시하고 있다.

'한동안 메이드복을 입더니 이제는 정장이로군.'

던전에서 떨어지는 천 재질의 옷들은 중갑, 가죽갑옷에 비하면 그 종류가 다양하고 현대식이 많은 편이다.

요즘 게임답지 않게 코스튬 아바타가 없는 리벤지였기에 모두가 입을 수 있는 천 옷에 이것저것 욱여넣은 모양새.

'그러고 보니 슬슬 아바타가 추가될 것도 같은데.'

지금까지는 아바타가 별로 중요하지 않았다. 어차피 게임 플레이 내내 자동 사냥인데 캐릭터가 어떻게 생기든 무슨 상관이겠는가?

그러나 리벤지는 이제 심도 1급의 완전 가상 현실.

아바타의 등장은 기정사실이리라.

'물론 그것도 게임이 안 망했을 때 일이지만.'

그렇게 생각하는 사이 내 앞까지 다가온 플라워가 보고한다.

"와일드 보어성에서 보고가 들어왔습니다. 해당 위치에 모든 작업을 완료했다고 합니다."

"딱 좋은 타이밍이네. 따라와."

"네, 폐하."

나는 플라워와 헤이즈를 이끌고 경사진 터널을 걸어 내려갔다. 내 옆에서 반듯한 자세로 걷는 플라워와 달리 헤이즈는 망아지처럼 뛰어다니며 강철에 가까운 강도의 외벽을 신기하다는 듯 만졌다.

"지하에 길을 뚫는다고 했지?"

"그래. 길이 평평하기만 해도 통행에 훨씬 도움이 될 테니까."

바둑판의 선이라고 할 수 있는 영맥은 곧은 선 모양이지만.

그건 하늘에서 보았을 때의 이야기.

영맥은 대체로 산, 혹은 강으로 이루어져 있고 그중 산은 굳이 말하자면 능선(稜線)이다.

직선이 직선이 아니다.

100km의 거리를 산을 오르락내리락하며 이동해야 하는 것이다.

"거기에 습격을 당할 일도 없어지지."

소수의 몬스터가 숨어들어 영맥을 지나는 행렬을 공격하는 일도 막을 수 있다. 지하 100미터 아래서 움직이는데 뭘 어떻게 공격할 것인가?

쿠구궁!

그때 경사의 끝에 거대한 머리가 튀어나온다.

[다 했다.]

"좋아. 이제 산책 갈까?"
[산책 같은 소리 하고 있네.]
툴툴대면서도 고갤 낮춰 준다.
"잠깐."
"앗?"
나는 당황해하는 플라워를 안아 든 뒤, 땅을 박찼다. 그 뒤로 헤이즈가 따라붙었다.
그그극.
랜드웜의 이마 중앙에 있는 가장 큰 비늘이 열린다. 우리가 그 안으로 들어가자 기다렸다는 듯 비늘이 닫혔다.
비늘 안으로 들어온 헤이즈가 황당해했다.
"아니…… 이게 뭐야? 왜 이렇게 넓어?"
플라워도 당황한 듯 주위를 본다.
"폐하. 이곳의 모습은 영락없이……."
"그래. 마치 버스 같지."
이미 아이언 캐슬에 버스가 다니기 시작한 상태였기에 두 여인 모두 그 비유를 알아듣고 고개를 끄덕인다.
그 말대로.
랜드웜의 이마 정중앙에는 100명도 탈 수 있는 널찍한 공간이 마련되어 있다.
위에는 마치 전등처럼 빛나는 정체불명의 신체 기관.
바닥에는 편하게 등을 기댈 수 있는 푹신한 재질의 좌석 40개가 자리하고 있다.

그리고 무엇보다.

지잉.

랜드웜이 움직이기 시작하자 녀석의 이마 정중앙에 있는 가로 3m, 세로 7m짜리 비늘이 투명해진다.

덕분에 우리는 의자에 앉아 밖의 풍경을 또렷하게 볼 수 있었다.

"이게…… 무슨."

"말도 안 돼. 어째서 생명체에게 이런 신체 부위가 있는 거지? 왜 이런 구조가 필요한데?"

그야말로 있을 수 없는 일이지만 랜드웜은 여상하게 대꾸했다.

[나도 몰라. 어릴 때부터 있었다.]

"아니, 그런."

"말도 안 돼."

나는 당황하는 두 여인을 둔 채, 가장 화려한 좌석에 앉았다.

'이런 신체 구조가 왜 있느냐라.'

그건 굳이 고민할 필요도 없는 문제다.

'왜긴 왜야. 탑승 펫이니 그렇지.'

랜드웜은 내가 예전에 보았던 신화급 펫, 유성룡(流星龍)처럼 내게 행운 500 버프를 주는 기능은 없다.

그러나 그 대신.

랜드웜은 리벤지에 존재하는 모든 펫 중 가장 많은 인

원을 태울 수 있는 탑승 칸과 100칸도 넘는 [보조 인벤토리]를 가진 존재다.

[방향은 어디냐?]

"왼쪽. 아, 더, 더…… 그래, 좋아. 이대로 쭉 직진하면 돼."

미니맵을 보고 방향을 잡아 준다.

목적지는 북쪽 와일드 보어 성이었다.

쿠콰콰쾅!

실시간으로 100미터 깊이의 땅을 뚫고 있다곤 믿을 수 없는 속도로 랜드웜이 질주한다.

시속 100km도 넘는 속도.

내 옆에 꼿꼿이 서 있던 플라워가 새파랗게 질린 얼굴로 내 어깨를 잡기에, 나는 피식 웃은 뒤, 그녀를 내 왼쪽에 앉혔다. 맨 앞에 있는 좌석은 워낙 크고 화려해 전혀 좁지 않았다.

"읏차."

"너는 또 왜 여기 앉아?"

"넓구먼, 뭐."

"헤이즈 경. 폐하께……."

"아아. 괜찮아. 이래도 예를 지킬 때는 지키니까."

"……네, 폐하."

나는 두 미녀를 옆구리에 끼고 정면을 바라보았다.

엄청난 양의 흙, 바위, 모래가 커튼이 걷히듯 랜드웜의 몸에 닿지도 못하고 좌우로 밀려나는 모습이 보인다.

'시속 백 킬로미터도 넘는데…….'

살벌한 수준의 지(地) 속성력.

어쩌면 랜드웜의 최대 무기는 덩치가 아닌 속성력일지도 모른다.

"엄청나네……."

"네……."

두 여인은 홀린 듯이 땅이 밀려나는 모습을 구경했다. 중간중간 지하수를 만나기도 했지만, 자신이 지난 길을 내가 활용하려 한다는 걸 아는 랜드웜은 강력한 속성력으로 땅을 끌어와 지하수를 그대로 틀어막아 버렸다.

[지하수가 지나가는 곳은 벽 색을 하얗게 했다. 혹여 나중에 필요하면 활용해. 구멍 같은 거라도 뚫으면 물을 뽑아 쓸 수도 있을 거다.]

랜드웜의 말에 깜짝 놀란다. 그야말로 예상치 못한 꼼꼼함이다.

"와…… 너 이 녀석."

[왜?]

"이건 좀 감동인데?"

내 말에 랜드웜은 별다른 대꾸 없이 속도를 높였다.

내 오른쪽에 앉아 있던 헤이즈가 웃었다.

"또 한 차례…… 세상이 바뀌겠구나. 진짜 몇 번을 더 놀라야 할지 감도 안 잡힌다."

"뭐, 이제 얼추 다 놀랐을 거야."

과금이 어느 선을 넘어 신화급에 도달했으니 슬슬 할 걸 다 했다.

앞으로는 했던 걸 반복하는 과정에 가깝겠지.

"후후. 그래. 우리 구원자님."

헤이즈가 씩 웃으며 오른팔을 안아 든다.

압도적인 질량이 오른팔을 완전히 묻어 버린다.

"아, 앗! 흔들립니다."

플라워가 느닷없는 소리를 하며 왼팔을 안아 든다.

안쓰러울 정도로 와 닿는 게 없었다.

"……."

흔들리는 것은 그녀의 마음이었나 보다.

chapter3.
과금력

chapter3.
과금력

현재 인류제국이 차지한 착점의 수는 16개이다.

'블루웨일 백작령…… 아니, 이제 크롬 왕국이라고 해야 하나? 거기는 인류제국이라고 할 수 없으니 15개라고도 할 수 있겠군.'

그러나 그들이 그 위에서 살고 있을 뿐 그 착점의 성주 역시 나이니 상관없다. 플레이어도 길드 마스터도 없는 그들은 그저 내가 만든 성에서 살고 있을 뿐이니까.

즉, 내가 완성한 [집]의 넓이는 바둑판 전체의 36분의 1에 해당하는 수준.

그리고 바둑의 형식을 가지고 있는 리벤지에서 4개 이상의 착점을 차지해 집을 완성하게 되면 그 안은 해당 길드의 영지로 인정된다.

'원래는 이 공간 안에 존재하는 사냥터에서 세금을 거둘 수 있고 각종 이벤트 혜택, 특수 레이드 등에서 엄청난 이득을 볼 수 있어야 하지만…….'

그러나 내게 그런 이득은 없다.

아르데니아에는 필드 몬스터가 없기 때문이다.

어디 그뿐인가? 이곳엔 이벤트도, 퀘스트도, 특수 레이드도 발생하지 않는다.

지키지 못할 착점이라면 먹을 필요가 없는 상황.

그러나 그럼에도 나는 움직였다.

"좋아. 이 정도면 되겠다."

내면세계로 들어간 난 눈 앞에 펼쳐진 바둑판의 모습을 고개를 끄덕였다.

몬스터들의 총공세를 당한 후, 나는 인류제국의 영역에 맞닿는 2칸. 그러니까 20개의 착점을 모조리 쓸어버렸다.

속성 몬스터, 고레벨의 몬스터들이 나를 막아섰지만 역부족.

이제 몬스터들이 군세를 이끌어 인류제국을 공격하려면, 최소 300킬로미터 이상을 이동해야 한다는 뜻이다.

'아무리 몬스터들이 리젠된다고 해도 이 거리는 무시할 만한 수준이 아니지.'

이 먼 거리를 오면서 눈에 안 띄기도 힘들고 무엇보다 이동에 너무나 많은 시간을 뺏기게 된다.

'게다가 이렇게 멀리 온 다음 살해당하면 왜 죽었는지 본진에서 알 방법도 없지.'

그나마 방법은 소수의 특공대를 운영해 테러를 벌이는 것뿐인데.

그런 상태에서…… 랜드웜은 인류제국의 모든 성을 연결하는 지하도를 만들었다.

'대충 중요 도시나 연결할 수 있을 줄 알았는데.'

좀 하다 밥이나 달라고 싫증을 부릴 줄 알았던 랜드웜은 웬일인지 고분고분 터널을 뚫어 주었다. 어쩌면 녀석에게는 점프. 그러니까 [대파괴] 스킬보다 이쪽이 훨씬 쉬운 일이어서 그런지도 모른다.

'하기야 어떻게 생각하면 그냥 이동일 뿐이니까.'

어쨌든 2칸의 공백 지대를 만들고 지하도까지 파고 나니 더 이상의 피해는 발생하지 않았다.

가끔 눈치 없이 공백 지대의 일반 등급 성을 차지하는 녀석이 나오곤 했지만, 그러면 즉시 내가 날아가서 던전 채로 박살 내 주면 된다.

'좋아. 이 정도면 인류제국의 방어에는 문제가 없다.'

내가 없어도 제국의 안전이 보장되는 상황.

그것이 무엇을 뜻하는가?

"화점 독식의 순간이지."

사실 착점도 많을수록 좋다. 착점 하나하나가 일종의 외장 하드 느낌으로 요소를 저장할 수 있기 때문이다.

당장 내가 [무공]이라는 말도 안 되는 수준의 요소를 다룰 수 있는 것도 이 착점들의 도움 때문이 아니던가?

그러나 이대로 날아다니며 착점을 클리어하는 건 말 그대로 뻘짓에 가깝다.

'공격은 쉬워. 혼자서도 가능하니까. 하지만…… 그곳을 지킬 수가 없다.'

그게 문제다. 성을 차지하면 뭘 하는가? 지키질 못하는데. 지키지 못하는 성은 외장 하드로 쓰기도 불안하다.

내가 [요소]를 넣어 두고 있던 성을 몬스터가 차지하면 위치한 요소가 깨져 나가는 건 물론이고 한동안 차크라를 쓸 수 없을 정도의 리바운드가 오기 때문이다.

팟!

눈을 뜬다. 내면세계에서 빠져나와 현실로 돌아왔다.

"잠깐 지구에 다녀와야겠다."

한동안 돌아갈 생각이 없었지만 더 많은 귀환 스크롤이 필요하다. 화점을 털고 다니는 상황에 고립된 인류를 만날 수 있기 때문이다.

무제한적인 식량과 의복, 그리고 남아도는 집을 보유한 인류제국 입장을 생각해 보면 인간은 보이는 대로 수집해야 할 귀중한 자원.

바닥난 텔레포트 스크롤 역시 일퀘를 해서 채워 놓아야 한다.

"로그아웃."

망설일 이유가 없기에 즉시 지구로 돌아온다. 리벤지 서비스가 종료될 위기가 있긴 하지만.

'설마 망해도 하루 만에 망할 리는 없지.'

그렇게 생각하는 순간이었다.

털썩.

"어?"

침대에서 일어나려다가 그대로 쓰러진다.

"어어……?"

몸을 추스르기가 어렵다. 마치 풍선에서 바람이 빠지듯 온몸에서 힘이 빠지는 게 느껴진다.

'이게 무슨 일이지?'

황급히 눈을 굴려 주변을 둘러보았지만 아무것도 보이지 않는다. 나를 공격하는 사람도, 어떤 마법진이나 기계도 없다.

내 원룸은 내가 로그인하기 전과 조금도 달라진 게 없는 상태.

대신 딱 하나 보이는 게 있었다.

(–)

"뭐야?"

피처럼 붉게 빛나는 기호 하나가 눈앞에 떠 있었다. 그게 뭔지는 알 수 없었다.

"윽!"

몰려오는 고통에 신음하던 난 내게 몰아치는 고통의 근원을 알 수 있었다.

[알 수 없는 이유로 근력이 50포인트 감소하였습니다!]

[알 수 없는 이유로 체력이 50포인트 감소하였습니다!]

[알 수 없는 이유로 생명력이 50포인트 감소하였습니다!]

[알 수 없는 이유로 체력이 50포인트 감소하였습니다!]

[알 수 없는 이유로 민첩이 50포인트 감소하였습니다!]

[알 수 없는 이유로……]

"뭐, 뭐야!? 뭔데?"

모든 스텟이 실시간으로 줄어들고 있다. 처음에는 수호령이나 컬렉션 효과로 주어지는 추가 스텟들이 줄어들었지만 그게 다 떨어지자 본신 스텟까지 깎여 나간다. 본신 스텟은 부가 스텟만큼 빠르게 떨어지지 않았지만, 그렇다고 떨어지는 게 멈추지는 않았다.

(−68)

"마이너스 68? 이게 무슨 뜻이지?"

숨을 헐떡거린다. 위기감이 몰려온다.

'근력이 0까지 떨어지면 어떻게 되는 거지? 민첩이 0까지 떨어지면…… 아니 무엇보다 생명력이 0이 되면…….'

온갖 생각이 들었지만 일단 상황을 파악해야 했다. 나는 피처럼 붉은 숫자를 바라보았다.

(-6872772300)

"마이너스 68억 7277만 2300…… 이게 뭔데?"

온몸에 힘이 풀린다. 생명력이 얼마나 떨어진 것인지 눈앞이 깜깜해지기 시작한다.

그리고 그 순간.

마지막 글자가 새겨졌다.

(-6,872,772,300원)

"원?"

원이라고? 설마 내가 아는 그 원?

"큭!"

순간 숨이 막힌다. 스텟이 위험한 수준까지 떨어진 상황! 나는 배에 힘을 딱 주고 소리쳤다.

원래대로라면 고함만으로 건물을 부술 수 있어야 할 포효가 피식 하고 새어 나온다.

"로그인……."

아르데니아로 돌아오는 순간.

마치 내 몸이 풍선처럼 부푸는 듯하다.

[알 수 없는 이유로 근력이 50포인트 상승하였습니다!]

[알 수 없는 이유로 체력이 50포인트 상승하였습니다!]

[알 수 없는 이유로 생명력이 50포인트 상승하였습니다!]

[알 수 없는 이유로 체력이 50포인트 상승하였습니다!]

[알 수 없는 이유로 민첩이 50포인트 상승하였습니다!]

[알 수 없는 이유로……]

"헉…… 헉…… 헉헉……."

"폐하!? 폐하 괜찮으십니까?"

마스터 룸 한쪽에서 업무를 진행 중이던 플라워가 깜짝 놀라 달려온다. 나는 손을 들어 괜찮다는 듯 그녀를 진정시키고 몸 상태를 점검한다.

스텟이 빠르게 회복되며 빌딩을 집어던질 듯한 근력과 온몸을 휘감아 도는 체력. 소총을 쏴도 피 한 방울 안 흘릴 생명력이 맥동한다.

"후……."

이내 몸 상태가 완전히 호전된다. 그러나 그럼에도 머릿속이 복잡했다.

"마이너스…… 68억…… 원?"

바닥까지 떨어졌던 스텟이 원래 수준으로 돌아오자 육신의 힘이 넘치다 못해 끓어오르는 것 같았지만, 불가사의한 신체 제어 능력으로 이내 안정시킬 수 있었다.

"68억…… 원."

그 와중에도 생각을 정리한다.

'중요한 건 단위다.'

원(₩).

그것이 무엇의 단위인가? 바로 돈의 단위.

"폐하."

"아, 괜찮아. 잠깐 새로운 능력을 시험해 봤는데 반동이 와서."

"새로운 능력이라니…… 무리하지 마십시오. 이미 폐하께서는 너무 많은 일을 하고 계십니다."

걱정하는 플라워의 머리를 가볍게 쓰다듬어 준 뒤 자리에서 일어난다.

"괜찮으니 가서 쉬어."

이에 플라워가 잠시 나를 바라보았으나 이내 인사를 하고는 엘리베이터를 탔다. 나는 엘리베이터가 내려가는 모습을 잠시 지켜보다 몸을 돌렸다.

발걸음을 옮겨 창가에 서니 거대한 도시의 모습이 내려다보인다.

'돈.'

나는 생각했다.

'또 돈이 문제가 되는군.'

400억 원어치 주식을 처분해 4,000억 원으로 불리고, 심지어 1,000억 원짜리 다이아 상자를 한 달에 3번씩 복구할 수 있게 되면서…….

나는 이 엿 같은 과금 게임의 과금에서 완전히 자유로운 존재가 되었다.

이건 패키지 게임에서 돈 치트를 쓴 것과는 차원이 다른 일이다. 돈이 많아도 할 수 있는 일에는 한계가 있는 패키지 게임과 다르게, 현대 과금 게임은 현금이 있으면 그야말로 뭐든지 할 수 있기 때문.

남아 있는 돈이 얼마인지 신경도 쓰지 않고 아무거나 살 수 있으니, 마음만 먹으면 이 세상을 정말 게임처럼 즐길 수 있는 상황이었다. 5분 전까지는 그랬다는 말이다.

"돈……."

머리가 팽팽 돌아간다. 나는 수십 수백 번도 넘게 내 능력의 작동 원리나 근원에 대해서 고민해 왔다.

정말 난데없는 상황이었지만.

그럼에도 짐작 가는 바가 있다.

'돈이 마이너스가 되었어. 내가 빚을 진 거나 다름없다는 말이다.'

게임 능력을 이용하기 위해서는 돈이 필요했다. 나는 재수가 없다고 생각했다.

—아! 왜 하필 이런 똥겜! 이런 쓰레기겜! 이런 과금겜이 걸려서!

그래. 그렇게 생각했다. 만약 이런 능력이 흔히 말하는 갓겜에서 적용되었다면. 그냥 게임을 하는 것만으로 레벨이 오르고. 레벨이 오르면 스킬을 원하는 트리로 찍을 수 있었을 텐데.

던전에 들어가 사냥하는 것만으로도 재화를 벌 수 있었을 텐데.

레이드 보스 패턴과 공략법을 연구하는 것만으로 전설, 신화 장비를 얻었을 텐데.

그러나 그렇게 아쉬워하면서도, 나는 다른 가설 역시 떠올렸다.

만약 재수 없게 과금 게임에 걸려서 죽어라 돈을 벌어야 하는 게 아니라.

지나칠 정도의 과금 게임이기에 이 능력이 성립되는 것이라면?

'일단은 미뤄 놨던 가설이지.'

그렇다. 미뤄 놓았다. 빈틈이 많았기 때문이다. 내가 가져오는 게 꼭 과금 아이템만은 아니지 않은가? 리벤지에서 획득한 드랍 템도 얼마든지 들고 왔다. 당장 들고 온 송편만 해도 톤 단위인데.

'하지만. 만약에. 정말 만약에…….'

그럼에도 이 능력이 과금으로 이루어져 있다면?

돈을 주고 뭔가를 사면 그것이 내게 힘을 주는 식이라면?

만약 그러하다면.

'삭제 후 복구 신청이나…… 주식 10배 뻥튀기가 문제가 된다.'

왜냐하면, 실제로 내가 사용한 재화보다 훨씬 많은 가치가 소모되기 때문이다.

그렇다면 마이너스 68억 원이라는 결과가 가능.

엉망진창 끼워 맞추기지만 이 이상 맞아 들어가는 가설이 없다.

'어디.'

나는 펫 창을 열었다. 그리고 그중 가장 인기가 없는 햄돌이(일반) 카드를 선택했다.

[해당 카드를 삭제하시겠습니까?]

[하위 등급의 펫 카드 네 장을 모으면 상위 등급의 펫 카드로 합성시킬 수 있습니다. 정말 삭제하시겠습니까?]

떠오르는 창을 타타타 터치해 없애 버린다.

그리고.

"로그아웃."

현실로 돌아가 눈앞에 또는 수치를 확인한다. 또다시

스텟이 미친 듯 감소하는 게 느껴졌지만, 무시하고 숫자만 본다.

(-6,872,772,300원)

삑!

(-6,872,770,800원)

"……역시."

줄었다. 1,500원이 줄었다!

다만 문제가 있다.

펫 카드의 가격은 1만 원인데 일반 등급의 펫은 1,500원의 가치로 판정되고 있다.

"로그인."

실험 삼아 햄돌이 카드 하나를 더 삭제했다.

"로그아웃."

(-6,872,769,900원)

이번에는 900원이 줄었다.

'뭐야. 고정 수치가 아닌 모양이네…… 확률이라 그런가.'

이번에는 큰 덩어리를 삭제했다.

[1,000다이아 상자]

10만 원짜리 아이템.
그러나.

(-6,872,769,900원)

이번에는 단 1원도 줄지 않았다.
'역시 그렇군.'
사용하지 않은 다이아는 쓴 것으로 치지 않는다는 말이다. 하기야 다이아 상자를 사용한 것으로 쳤으면 마이너스 68억이 아니라 수천억은 되어야 할 것이다.
"흠."
혼란이 가라앉고 생각이 정리된다.
그리고 그렇게 상황이 명확해지자, 나는 한 가지 사실을 깨달았다.
"아……."
선택의 순간이다.
'사실 아르데니아에서만 살아갈 거라면 아무런 문제가 없다.'
아직 [다이아 상자]도 여럿 남아 있고 생각보다 다이아 소모량이 그리 크지 않다.

가장 컸어야 할 소모. 신화급 클래스, 수호령, 펫을 현실에서 꺼내 왔기에 더욱 그러하다.

'심지어 나는 아르데니아에서 나이를 먹지 않는다.'

즉, 남은 수천억의 다이아를 낭비하지만 않는다면.

나는 아르데니아에서 영원토록 황제의 삶을 살 수 있다.

"……흥."

그러나 코웃음 친다. 고민할 것도 없는 문제였다.

[마인드 패스파인더(영웅) 카드를 삭제하였습니다.]

[캐노니어(영웅) 카드를 삭제하였습니다.]

[스타 시커(전설) 카드를 삭제하였습니다.]

[철갑 불곰(영웅) 카드를 삭제하였습니다.]

[일각수(영웅) 카드를 삭제하였습니다.]

[철갑 불곰(영웅) 카드를 삭제하였습니다.]

[네버다이(영웅) 카드를……]

잔뜩 사 두었던 클래스, 수호령, 펫을 정리한다.

물론 모조리 정리하는 건 아니고 같은 등급에서도 쓸 만한 것들은 남기고 그렇지 않은 것은 삭제하는 식.

예를 들어 똑같은 일반 등급의 직업이라도 마법사 직업들을 정리한다. 나오기는 1/3의 확률로 나오는데 필요한 교육 난이도가 훨씬 높기 때문이다.

펫의 경우 귀여운 외양과 [장비 자동 수거] 능력을 가진 녀석들을 싹 다 삭제했다.

'아이템이야 사람이 직접 주우면 되지. 드랍이 얼마나 된다고.'

대신 탑승 펫은 대부분 남기고 버프 펫이나 전투 펫 중에서도 덩치가 제법 있어 가방이나 지게를 메고 다닐 수 있는 녀석은 남겨 두었다.

영웅 등급 펫의 경우 비행형 탑승 펫을 빼고 전부 삭제해 버렸다.

"로그아웃."

(-3,723,111,400원)

"하…… 군대를 무장할 물건을 다 없앴는데도 이것밖에 안 주나?"

삭제할 만큼 삭제했는데도 이 모양.

문제는 이제 삭제할 게 없다는 것이다.

'돌아보니 위험천만했군.'

그나마 68억이니 어떻게든 복구해 보겠다는 마음이라도 먹을 수 있었다.

그러나 마이너스 천 억이었다면?

이천 억이었다면?

만약 그랬다면 난 감히 복구할 생각조차 못하고 그냥 아르데니아에서 살아야 했을 것이다. 아르데니아에서 더 크게 지르기 전 상황을 발견한 건 말 그대로 행운이다.

"그나저나 이제 뭘 삭제하지. 맘 같아서는 컬렉션을 다시 토하고 싶은데……."

솔직히 효율이 제일 안 좋은 콘텐츠다. 스텟 좀 올리려고 전설의 무기. 9강 무기가 다 사라진 상황.

그러나, 이미 등록한 컬렉션을 뺄 수는 없었다.

'낙장불입이 장비뿐이 아냐.'

신화 등급의 클래스, 수호령, 펫 역시 컬렉션에 들어 있는 만큼 어찌할 방법이 없다. 이미 건설해 버린 신화 성이나 부속 건물도 마찬가지.

모조리 전설 등급까지 올려 놓은 다른 성들 역시 돌이킬 수 없다.

"……."

결국, 답은 하나뿐.

나는 인벤토리에서 한 자루의 검을 꺼냈다.

쌍룡검(전설) +9
무기 대미지 +29(+18)
치명타 시 추가 대미지 +21(+21)
근력 +15(+18)
생명력 +15(+18)

추가 대미지 +6(+9)

스킬 대미지 증폭 +20%

재질 : 오리하르콘(손상 방지).

무게 : 11.8킬로그램.

특수 효과.

삼척서천 산하동색(三尺誓天 山河動色)(고유).

일휘소탕 혈염산하(一揮掃蕩 血染山河)(고유).

내가 쓰기 위해 가져온 검이다. 그냥 쓰는 정도가 아니라 신화급으로 승급시켜 내내 쓸 예정이던, 어쩌면 수백 년은 더 썼을지도 모를 무기.

내가 꺼낸 것은 그것만이 아니다.

턱. 턱. 턱. 턱. 턱.

투구, 상의, 하의, 장갑, 부츠를 내려놓는다. 모두 9강화 된 전설 장비들.

거기서도 멈추지 않는다.

[빛 지배의 반지(전설) +9]

[어둠 지배의 반지(전설) +9]

[불꽃 지배의 반지(전설) +9]

[바람 지배의……]

꺼낸다. 싹 다 꺼내 버렸다.

"그래…… 사실 오버 스펙이긴 해. 스페셜 보스도 행운템 끼고 혼자서 잡을 수 있으니."

물론 내륙에 들어서면, 그러니까 필드에 전설 등급이 돌아다니는 고렙존에 접어들면 상황이 좀 달라지겠지.

그러나…… 녀석들과 마주한다 해도 일방적으로 밀릴 거라는 생각은 안 든다. 하물며 당장 노릴 곳은 화점뿐인 상황이 아닌가?

나는 미래를 생각하기보다 들고 있는 전설검을 바라보았다.

스스릉.

손잡이를 잡아 뽑자 은빛의 검날이 서늘하게 번뜩인다.

"몬스터 한 마리 잡아 본 적 없는데. 삭제인가……."

나는 쌍룡검을 바라보았다.

그냥 전설도 아니고 9강화 전설검.

'이 아이템에도 많은 사연이 있겠지.'

쌍룡검은 사실 선호되는 장비가 아니다. 리벤지 장비에 반드시 필요한 명중 스텟이 없기 때문이다.

자체적으로 명중 보정 스킬이 있거나 명중 스텟에 크게 영향 받지 않는 특이 클래스나 다룰 법한 장비.

그러나 누군가는 이 장비를 무려 9강까지 강화했다.

"그는……."

그는 아마도 대기업 이사 정도쯤 되는 인물이었을 것

이다. 아니면 명문가의 후손이나 신흥 재벌, 아니면 인기 연예인 정도 되겠지.

그 정도가 아니면 9강화 전설 장비를 쓸 수가 없다.

'아이디가 뭐였을까?'

생각한다. 다른 무기도 아니고 굳이 쌍룡검을 쓴 걸 보아하니 그의 아이디는 이순신…… 아니 그런 아이디는 막혀 있을 테니 아마 성웅이순신 정도 되었을 것이다.

'당연히 길드 마스터였을 거야.'

그래. 그 정도 되는 과금액이면 길드 마스터일 수밖에 없다. 평소 사냥 때는 무자비한 전사. 전쟁 때는 길드원들을 지켜 주는 믿음직한 형님이었겠지.

전설 장비를 강화할 때, 수많은 길드원이 모여 그를 축복했을 것이다.

[성웅이순신 길드장님 전설+9강 기원의 춤]

[위대하신 성웅이순신!]

[행운의 성웅이순신!]

[길마님 +9강 뜰 때까지 숨 참음!]

그래. 분명 그랬을 것이다.

그리고 마침내 강화에 성공했을 때 모두가 박수를 치며 기뻐했겠지. 전설 장비 9강화의 성공은 그 한 명이 아니라 길드의 전력이 높아지는 결과일 테니까.

'그는……. 성웅이순신은…….'

그는 이 무기를 들고 수많은 싸움을 했을 것이다. 몬스터들을 학살하고 공성전을, 수성전을 진행했을 것이다.

[오오오! 발동한다!]

[삼척서천 산하동색(三尺誓天 山河動色)!]

[석 자되는 칼로 하늘에 맹세하니 산과 물이 떠는구나!]

[일휘소탕 혈염산하도 써 주세요 길마님!]

그래. 그랬을 것이다.

그는 한 자루이자 두 자루인, 이 검을 들고 원한에 따라 PK를 하고 레이드 몬스터를 잡기 위해 전쟁을 벌였을 것이다.

그리고 그 후에는?

그는 어쩌면 게임을 접었을 것이다. 현실이 어려워져 자신의 분신과도 같은 검을 팔았겠지.

아니면 신화 클래스에 들어서게 되어 신화 무기를 노리거나 자신에게 더 잘 맞는 무기를 들게 되었을지도 모른다.

이 데이터 쪼가리에 담긴 그 수많은 사연과 역사.

그것이.

그것이……

[쌍룡검(전설) +9가 삭제되었습니다.]
[성웅의 투구(전설) +9가 삭제되었습니다.]
[성웅의 갑주(전설) +9가 삭제되었습니다.]
[성웅의 하의(전설) +9가 삭제되었습니다.]
[성웅의 장갑(전설) +9가 삭제되었습니다.]
[성웅의 신발(전설) +9가 삭제되었습니다.]

다 사라진다. 눈시울이 뜨거워진다.

"하…… 제길."

내가 아이템을 사서 삭제한다는 사실은 이미 공식 홈페이지나 팬 사이트에서 널리 알려졌다.

캐릭터 정보가 다 공개되는 게임 특성상 당연한 일이었고, 덕분에 미친놈이라고 욕하는, 혹은 비하하는 게시물이나 댓글도 많이 보았다.

그걸 본 내 감상은 이랬다.

뭐 어쩌라고?

그래. 딱 그 느낌이다. 내가 남한테 무슨 피해를 입힌 것도 아닌데 지들이 무슨 상관이란 말인가? 남 일에 참 관심도 많은 것들이다.

'그렇게 생각해 왔지.'

그러나 지금 [진짜]로 장비를 삭제하는 상황이 오자.

"와, 진짜."

그들의 마음이 이해가 간다.

“미친놈으로 보이긴 했겠다.”

어쩔 수 없는 일이라는 걸 알면서도 손발이 떨려 올 정도니 옆에서 지켜보는 입장에선 어땠겠는가?

그래도 눈물의 삭제는 나름대로 효과가 있었다.

(-1,322,166,900원)

“마이너스 13억.”

나는 상태창을 열었다.

아이디 : 한재연

클래스 : 검신(신화)

칭호 : 신규 모험가(일반)

레벨 : 69

근력 : 21 체력 : 11

생명력 : 18 민첩 : 11

마나 : 1 마나력 : 1 항마력 : 1

회복력 : 13 마나 회복력 : 11 운 : 10

자유 스텟 : 0

상태 : 정상

“와…….”

여전히 마이너스 13억이 남아 있기 때문인지 보정 스

텟은 깔끔하게 날아갔다.

아니, 그 정도가 아니라…… 내 본신 스텟도 어마어마하게 깎여 있다.

적어도 지구에서 활동할 수 있다는 건 희소식이지만.

"이건 일반인만도 못한데?"

로그인한 상태와 로그아웃한 상태의 신체 능력이 너무 심하게 차이 나서 지구에 있으면 엄청난 박탈감이 느껴졌다.

"지구에서 우주 용병하려고 했는데……."

우주 용병은 개뿔.

알바도 못할 수준이었다.

"에휴, 체다."

내 목소리에 책상 위에 앉아 있던 체다가 가볍게 뛰어 다가온다.

나는 오른손을 뻗어 녀석의 목덜미를 잡아 들었다.

"……끄응!"

절로 신음이 나온다.

너무나 무겁다!

"아니, 무슨. 고작 십 킬로그램 겨우 넘을 텐데……."

체다를 떨구자 날렵하게 바닥에 착지한다. 녀석은 가만히 나를 올려다보다가 별다른 명령이 없자 다시 책상 위로 올라갔다.

"아…… 격투기 경기는 다 취소해야겠네……."

아무리 [불가해한 전투 예지]가 있어도 이 몸 상태로는 답이 없다. 힘이 너무나 약하고 감각이 둔해서 능력자는 고사하고 일반인하고 싸워도 패배할 정도.

문제는 그뿐이 아니다.

"헉헉, 와. 체력이 미쳤나."

가볍게 몸을 푼 것만으로도 이마에 송골송골 땀이 맺히고 호흡이 거칠어진다.

여전히 근육질의 몸이었지만 그 성능은 과거와 비교를 불허하는 수준. 팔다리에 달린 게 근육이 아니라 물 풍선 같다.

'이게 바로 물 근육이라는 건가?'

일반적으로.

10포인트의 근력은 어린아이의 근력으로 해석된다. 20포인트는 성인 여성의 근력, 30포인트는 성인 남성의 근력.

스텟마다 기준점이 다르지만, 일반적으로 30포인트가 '준수한 일반인' 수준의 스텟이다.

'그런 면에서…… 내 상태는 너무 심각해.'

21포인트의 근력, 11포인트의 체력, 18포인트의 생명력, 11포인트의 민첩.

농담이 아니다.

평생토록 방을 벗어나지 않고, 운동이라곤 숨쉬기 운동과 마우스 클릭밖에 안 한 방구석 폐인보다도 못한 육체 능력.

'이 끔찍한 스텟으로는 편의점 알바조차 고난과 역경의 중노동이다.'

맨손으로 강철을 찰흙 주무르듯 뭉개 버릴 수 있는 육체 능력을 가졌던 내 입장에서는 답답해 미칠 수밖에 없는 상황.

"그래도."

천만다행히도.

"게임 정도는 할 만하네……."

이 엉망인 스텟으로도 리벤지를 플레이하기는 어렵지 않다. 플레이 태반이 자동인 덕.

나는 일퀘를 완료해 텔레포트 스크롤을 채우고 자동 사냥으로 아이템을 파밍했다.

[반란군 요새에서 킬리언스 님이 투사의 장검(희귀)를 획득했습니다!]

딱히 다른 일을 하지도 않은 채, 그저 멍하니 자동 사냥을 하는 캐릭터를 지켜만 보던 내 앞에 희귀급 검이 드랍된다.

캐릭터가 그걸 줍는 모습을 보니 급박한 상황에 미뤄두었던 의문이 떠오른다.

'돈을 주지 않고 가져오는 아이템은 어떻게 되는 거지?'

즉시 시험해 보기로 했다.

"로그인."

아르데니아로 들어선다.

"읏."

힘없이 늘어지던 육신에 힘이 들어가는 감각은 거의 쾌감에 가깝다.

'지구로 나갈 때 느끼는 어마어마한 상실감의 반대급부라고 해야겠지.'

나는 머리를 흔들어 잡념을 떨친 후 투사의 장검(희귀)를 꺼냈다. 당연한 말이지만 한 번 아르데니아에 가져온 아이템은 다시는 리벤지로 보낼 수 없다.

"로그아웃."

(−1,322,166,900원 → −1,322,166,990원)

시야 한편에 떠 있는 숫자를 보고 눈을 가늘게 떴다.

"마이너스가……. 90원 늘었어?"

나는 즉시 거래소를 켰다.

투사의 장검 : 980다이아

980다이아. 그러니까 98,000원이다. 그런데 빚은 90원만 늘어났다.

나는 리벤지의 다이아를 써서 투사의 장검을 구매, 아르데니아에서 꺼냈다.

[알 수 없는 이유로 근력이 1포인트 감소하였습니다!]

"윽."
제약이 한층 강해진다.
나는 빚을 확인했다.

(-1,322,166,990원 → -1,322,261,990원)

빚이 95,000원이 늘어났다. 정확히 같지는 않지만, 거래소 가격과 비슷하다.
"이거…… 고정 수치가 아니군."
나는 즉시 이런저런 실험을 시작했다. 구매했던 투사의 장검을 삭제하고, 리벤지에 있던 포효하는 드레이크 카심을 아르데니아에서 꺼내고, 또 삭제해 보았다.
상점에서 골드로 산 아이템, 명예 코인으로 산 아이템, 그냥 남이 버린 아이템도 보내고 삭제해 보았다.
그리 큰 액수는 아니지만, 통장에 남은 잔금으로 과금도 해 보았다.
수치가 바로바로 변했기 때문에 실험은 어렵지 않았다.

"대충 알겠군……."

나는 알아낸 것들을 정리했다.

"일단 이 수치를…… 그래, 과금력이라 부르자."

나는 체다를 불러 메모장에 내용을 정리했다.

1. 게임에 과금할 때 과금력은 증가한다.

예를 들어 이번 주식을 팔면서 증가한 과금력은 +400억이었을 것이다.

과금력은 다른 변수 없이 내가 리벤지에 투자한 만큼 증가한다.

몇 번의 과금을 더 하면서 확인할 수 있었다. 오직 과금했을 때만 증가하는 수치.

2. 리벤지의 아이템을 아르데니아로 가져가 '사용'할 시 과금력이 감소한다. 장비의 경우는 꺼내는 즉시 적용된다.

다만 같은 아이템이더라도 획득 방식에 따라 그 수치가 천차만별이다.

사람에게서 구매했는가, 캐시숍에서 구매했는가, 남이 버린 것을 주웠는가, 상점에서 골드나 명예 코인을 주고 구매했는가, 직접 몬스터를 잡아서 획득했는가.

모두 다른 결과를 보였다.

참고로 배사랑에게 받았던 카심이나 각성 썬더버드는 [남이 버린 것]으로 판정되고 있다.

3. 과금력은 과금에 관련해서는 쌓이기만, 과금된 재화를 사용하는 순간 소모되기만 한다.

몇 번의 실험에서 확인된 가장 효율이 안 좋은, [사람에게서 구매]도 결과적으로 과금력이 쌓이긴 했다.

만 원어치 과금을 해, 아르데니아에서 만 원짜리 아이템을 사용할 경우, 고작 500원의 과금력이 쌓이는 식이었지만 어쨌든 과금력이 올랐다.

하물며 지금껏 내가 한 과금은 대부분은 캐시숍에서 이루어지지 않았던가?

'캐시숍의 손실률은 대략 70퍼센트 정도.'

어쨌든 30퍼센트가 계속 남는 식이었기에 난 과금력이 깎이기만 하는 삭제&복구 신청도 견딜 수 있을 정도의 과금력을 쌓을 수 있었다.

문제는 무과금. 그러니까 순수한 파밍 때 발생한다. 내가 가져간 수많은 아이템과 송편 등등이 과금력을 깎아먹기만 했다는 뜻!

그러나 실험 결과는 나쁘지 않았다.

4. 순수히 파밍한 아이템의 과금력 소모는 원 아이템 가

치의 0.1% 이하.

투사의 검을 거래소에서 구매했을 때는 빚이 95,000원이 증가했는데 [파밍]으로 얻었을 때는 90원밖에 증가하지 않았다는 게 그 증거.

물론 [파밍]에 범주에 속하지 않는, 거기에 수천만 원 정도의 가치를 지닌 전설 펫과 수호령의 복구 신청은 상당한 마이너스였겠지만.

'합성해서 다 날렸지. 원상 복구되었을 거야.'

리벤지가 과금 효율이 극도로 떨어지는 유사 게임이었기에 가능한 일이지만, 결과적으로 1년이 넘는 시간 동안 과금력은 꾸준히 쌓이기만 했다는 이야기.

'그러나.'

이번 다이아 열 배 뻥튀기 사태로 사달이 일어났다. 발생한 과금력은 400억인데, 가진 총알이 4000억이니 문제가 발생한 것.

'그나마 다행인 건 4000억을 다 쓰기 전에 눈치 챘다는 거야. 대충……. 500억 정도에서 발견한 모양이군.'

팬 사이트에서 [대환장 4000억 과금 파티]라 불리는 날…….

많든 적든 어쨌든 쌓여 가던 과금력은 다 날아가다 못해 마이너스를 찍게 되었다.

그때야 난데없는 패널티에 깜짝 놀랐지만, 돌아보니 여

러모로 운이 좋았다.

"그래. 이 정도면 일찍 발견한 셈이야."

당장 다음 화점을 정복한 다음 거기에 신화 성을 설치할 예정이었다.

그리고 신화 성을 설치했다면?

수십억짜리 부속 건물은 당연한 흐름.

만일 지금 지구에 들르지 않았으면 마이너스 된 과금력은 63억이 아니라 한 150억쯤은 되었을 것이다.

'그리고 시간이 지날수록 상황이 더 심각해졌겠지.'

아르데니아에서 내가 사용한 다이아는 가지고 있는 다이아의 극히 일부에 지나지 않는다. 아직 수천억 원치 다이아가 더 있었으니 얼마든 더 지를 수 있었던 것!

시간이 지나면 지날수록 마이너스되는 과금력은 점점 더 커지기만 했을 것이다.

"그러고 보니…… 이렇게 되면 화점을 차지할 수가 없네."

정확히는 차지할 수는 있지만 지키는 것이 불가능하다.

제대로 된 성과 부속 건물을 지을 돈이 모자라기 때문이다.

"일단…… 과금력을 채우자."

당연하지만 그러자면 돈을 벌어야 하는 상황.

몸이 너무 약해져 스턴트도, 연기도, 심지어 알바도 하기 힘든 상황이지만 그렇다고 수가 없는 것은 아니다.

[안녕하세요. 작가님!^^ 도서 출판 초록용용이입니다.]

이북 정산서를 보내 드리오니, 확인 부탁드립니다.

앞으로도 좋은 글 부탁드립니다!

정산액 : 4,830,000원

인세가 들어오고 있다. 물론 모자라다.

'이걸로 마이너스 13억의 과금력을 모두 회복시키려면…….'

대충 계산해 보았다. 월 수익을 대충 5백만 원이라고 가정한다면.

'260개월. 매월 5백만 원씩 벌어서 밥 한 끼 안 모으고 모아도 11년하고 8개월이나 걸리네.'

억 단위 돈은 정말 장난이 아니란 사실을 새삼 깨닫는다.

"역시 소설 하나로는 안 된다……. 요새는 후원도 뜸하니."

때문에, 난 미리 찍어 놓았던 동영상을 편집해 마이튜브에 올렸다. 플레이어들이 [대환장 4,000억 과금 파티]라 부르는 뽑기 과정.

반응은 폭발적이었다.

일일 동영상 조회 수 27만!

아무런 활동도 없던 신규 채널이라는 걸 생각하면 실로 놀라운 성과였지만 리플 등에서 나타나는 반응은 좋지 않다.

아주, 안 좋았다.

↳지팽검: 아니 이 좋은 소재 가지고 이게 뭐야? 군침 흘리며 달려왔다가 입맛만 버렸네.

↳별팡비제이: 1인 방송 이따위로 할래? 액션 리액션을 넣어야 할 거 아냐! 게임 플레이 화면만 나올 거면 옆에 사람들이 촬영한 거랑 똑같지!

↳핫바디버디: 킬리언스씨…… 방송…… 참…… 못하시는…… 듯…….

혹평만 한가득.

그러나 나도 어쩔 수 없었다.

"아니, 지르는 와중 로그인 로그아웃을 반복하는데 그걸 어떻게 찍어……."

아르데니아로 아이템을 보내는 상황을 내 플레이 화면을 보이게 찍으면 문제가 생긴다.

딱히 삭제 키를 누르지 않았는데도 아이템이 뿅뿅 사라지니까.

그 광경은 누가 봐도 해킹.

문제가 생길 게 뻔한데 그런 장면을 촬영할 수는 없다.

'과금 방송은 어렵겠네…….'

물론 편집하면 될 일이고 시스템 로그에서는 아무런 문제가 없는 것처럼 보이는 모양이지만, 사람들이 바보도 아니고 수많은 눈이 내 플레이 장면을 지켜보다 보면 반드시 뭔가 이상한 점을 캐치할 것이다.

과금 동영상을 올리면 반드시 수십 수백억을 벌 수 있다고 누가 장담하는 것도 아닌데 내 역린(逆鱗)을 드러내고 싶지 않다.

물론 과금 없이 정상적인 게임 플레이 영상물을 찍을 수도 있겠지만.

'어림도 없지.'

레드오션이다 못해 피바다나 다름없는 개인 방송 판에서 그런 방송을 했다간 십삼억은커녕 먹고 살 돈도 벌기 힘든 상황.

"아……. 차라리 빌릴까?"

그렇게 생각하니 떠오르는 얼굴이 몇 있다.

'아역부터 시작해 긴 시간 슈퍼스타로 군림해 온 성재.'

녀석쯤 되는 급의 배우라면 13억 원 정도는 충분히 갖고 있을 것이다. 나름대로 친분도 있으니 적당히 부탁하면 빌려 줄 수도 있겠지.

'7클래스 고위 마법사인 앨런.'

이번 영화가 잘되었으니 그 역시 상당한 돈을 가지고 있겠지. 무엇보다 34지구에서 고위 마법사는 말 그대로 돈을 찍어 낼 수 있는 직종이 아닌가? 앞으로 그가 하는 모든 영화에 나오겠다고 약속해 주면 13억 쯤 빌려 주지 않을까?

'게임신의 조카라고 할 수 있는 혜영.'

무려 신의 친족이다. 게다가 나를 큰 은인이라고 생각하고 있으니 부탁하면 어떻게든 방법을 마련할지 모른다.

"……."

고민한다. 한참을 고민한다.

그러나 결국 고개를 흔들 수밖에 없었다.

"아, 무리다. 이건."

아무것도 없던 시절이라면 모를까 지금 상황에 밑도 끝도 없이 아쉬운 소리를 하고 싶지가 않다.

물론 힘을 되찾아 우주 용병 활동을 한다면 금방 갚을 수 있겠지만 그건 말 그대로 나만 아는 일이 아닌가?

"차라리 몸이 부서져라 일해서 버는 게 낫지."

혀를 차며 잡념을 지운다.

다행히 영상을 올린 보람이 전혀 없는 것은 아니었다.

↳용병꿈나무 : 어? 이 사람 다른 영상도 꽤 찍었는데요? 엥? 리벤지가 아니라 죄다 책 읽어 주는 영상이네.

↳용병꿈나무 : 와! 이 사람 작가래요! 직접 쓴 책을 읽나 봐요!

↳무조건재생 : 잠깐 얼굴이 익숙…… 아! 황제! 이 사람 황제 아님?

↳핫바디버디 : 황제가 뭐예요?

↳차노아 : 대한제국 황실 출신인가?

↳무조건재생 : 저기 미안한데 정식 명칭은 이가(李家). 대한제국이라고 하면 애국 틀딱 취급 받음.

↳김초코 : 아, 영화 보는 사람이 이렇게 없나? 이번에 대박 난 [교수 지망생] 주인공 중 하나잖아요!

지금껏 별 반응 없었던 내글내읽(내 글 내가 읽는다.) 콘텐츠에 사람이 붙기 시작한다. 최근 영화판에 명성이 자자한 라이징스타가 책을 읽는다고 하니 호기심에 모이는 사람들이 꽤 있었다.

물론 한계는 있다.

'작품의 수도, 대중성도 모자라!'

내가 쓴 글의 양은 엄청났지만, 하루 24시간 책만 읽는 과정을 보름쯤 반복하니 결국 떨어지고 만다.

물론 아직 작품들이 꽤 있지만…… 아무리 그래도 그렇지 이런 영상물에서 백과사전 같은 작품을 읽을 수는 없는 일 아닌가?

결국.

나는 특단의 수를 내기로 했다.

"로그인."

뿌득. 우웅……

쓰레기 같던 육신에 힘이 차오른다. 마약같이 강렬한 자극이 뇌리를 자극한다.

"후."

가볍게 숨을 내뿜어 잡념을 떨치고 플라워를 부른다.

"플라워."

"네, 폐하."

내가 한 번 앓는 모습을 보인 후, 플라워는 길드 마스터 룸에 책상 하나를 마련해 평시 업무를 거기에서 처리하는 중이다.

"인류제국에 문인이 얼마나 되지? 아, 아니 이렇게 말하면 안 되겠군."

아르데니아에서 문인이라고 하면 문학가가 아니라 글로 먹고 사는 모든 사람을 통칭한다. 행정을 관리하는 공무원도 다 문인이다.

"소설가가 얼마나 되지?"

"소설가…… 극작가를 말씀하시는 겁니까?"

"포함해서. 글로 된 이야기를 쓰는 사람이라면 다 상관없다."

내 말에 플라워가 난감한 표정을 지었다.

"그다지 많지는 않을 겁니다. 연극의 본고장은 신성제국이니까요. 명 제국이나 왕국들은 문학이 그리 발전한 지역이 아니지요."

사실 어느 정도 알고 있던 일이었다. 왕국 놈들은 피 튀기는 투기장에나 환호하지 문학에는 관심도 없었다.

"그럼, 만들어야겠군."

"네?"

당황하는 플라워를 마주 본다. 그래. 없으면 만들면 된다. 권력 좋다는 게 뭔가?

"내 이름으로 공모전을 열겠다. 자격은 무제한에 기한은 내년 오늘까지로 하지. 참가만 해도 소정의 골드를 지급하고 본선에 입상하면 시민증과 살 수 있는 집을 내리겠다. 그 후에는 성적에 따라 아이템, 클래스, 펫 등을 얻을 수 있을 것이고 최종적으로 우승하는 자에게는……."

역시 공모전을 흥하게 하는 것은 파격적인 보상이다.

"전설급 펫을 내리겠다."

바야흐로 [대예술의 시대]의 서막이 열렸다.

* * *

랜드웜의 정원은 40명이다. 리벤지에 존재하는 모든 탑승형 펫 중 최대 인원.

심지어 랜드웜의 이동에 붙은 [지형 무시] 특성은 벽으로 막혀 있든, 물이 있든, 마그마가 있든 상관없이 탑승자를 목표 지점까지 데려다 줄 수 있다.

'땅굴벌레 같은 거지, 뭐.'

공성전이나 전쟁 시 특정 포인트에 40명의 플레이어를 우르르 쏟아 내는 공격법은 상당히 강력해 랜드웜을 보유한 [미래] 길드는 대규모 전쟁에서 압도적인 퍼포먼스를 보이는 것으로 유명했다.

'길드 마스터가 미래 중공업 회장이랬던가.'

뭐 어쨌든.

[천검-백인참(百人斬)]&[천지를 가르는 검]

랜드 브레이커(Land Breaker).

영주성으로 우글우글 몰려들던 천신교단이 몰살을 당하고 그들을 지휘하던 광신자 에드워드 역시 심각한 타격을 입고 바닥을 뒹군다.

조금 전까지 절세 미남이었던 얼굴이 토끼발의 타격에 엉망으로 우그러져 있다.

"너, 너! 네놈이구나! 이 괴물! 신에게 저주받을 불신자! 네놈이 나와 내 군세를 죽였던 거야!"

"역시 보름 정도로는 리젠이 안 되네. 대신 던전엔 없어도 공성전에는 등장하는구나."

내가 이걸 몰라서 얼음 여왕의 함정에 빠졌었다.

후두두!

와르르!

쏟아지는 아이템의 비를 피해 앞으로 걷는다. 들어 올려지는 망치. 에드워드의 얼굴이 일그러진다.

"잠깐! 잠시 대화를 하자! 우리는 같은 인간이야! 충분히 동맹을 맺을 수 있……."

말을 섞기도 귀찮다.

인간형 몬스터이기에 더 동맹을 맺기 위험하다. 에드워드는 천인마수 양산과 테러 활동, 포교 등으로 그것이 사실임을 증명했다.

빽!

[축하합니다! 한 길드가 광신자를 해치웠습니다!]

[최고 기여도. 한재연.]

월드 메시지와 함께 하늘에서 수백 개의 아이템이 쏟아진다.

"어디 보자…… 구성은 전하고 비슷하네."

대신 이번에는 영광의 홀(전설) 대신 영광의 검(전설)이 드랍되었다. 크기도 적당하니 6강 정도 하고 쓸 만할 듯하다.

[한재연 님이 옥좌에 각인을 시도 중입니다!]

[축하합니다! 한 길드가 거짓된 빛의 성지를 점령했습니다!]

[새로운 성주. 한재연.]

승리와 동시에 모든 몬스터가 빛으로 변해 흩어지는 임팩트는 없다. 이미 다 죽여 버렸기 때문.

나는 산책하듯 영주성 앞을 돌며 아이템의 소나기를 피하다 비가 그칠 즈음 고개를 돌려 랜드웜을 바라보았다.

"내려 줘."

[짐꾼이…… 따로 없구먼.]

철컥.

쇳소리와 함께 랜드웜의 이마에 위치한 가장 큰 비늘이 열린다.

우르르.

다시 말하지만 랜드웜의 정원은 40명이다. 게임 화면상 넓이가 상당하다 하더라도 탈 수 있는 플레이어는 좌석 수만큼.

그러니까 게임에서는 그랬다는 말이다.

우르르.

마법사와 사제 플레이어 30명이 내린다.

"아이고…… 고생하셨습니다."

"고생하셨습니다!"

"알았으니 비켜요, 비켜! 다른 사람 나옵니다!"

우르르…….

이어서 궁수 계열 플레이어 60명이 굴러 떨어지듯 쏟아진다.

"아이고 삭신……."

"가자, 길! 길!"

"땅이다, 땅."

우르르!

이번엔 정말 많다.

전사 계통의 플레이어들이 주전자의 물처럼 쏟아진다.

쿵!

"윽! 으악! 저 깔렸습니다!"

"자자, 조심해서! 다치지 않게!"

"밀지 마! 사고 난다 사고!"

"너 생명력 300포인트가 넘기라도 하냐? 깔려 죽기 싫으면 빨리 빠지라고!"

쏟아진다. 계속 쏟아진다. 그 숫자가 무려 200여 명!

심지어 아직도 끝이 아니다.

"빨리 비켜. 빨리!"

"으으…… 다리에 쥐가……."

"기사님 나가신다! 죽기 싫으면 굴러서라도 빠져!"

우르르.

마지막으로 강력한 육체 능력과 오러 능력을 갖춘 기사 20명이 내렸다. 다들 안색이 창백하다.

'하기야 당연하지.'

나는 그들 모두를 랜드웜에 태워 두 화점, 그러니까 아이언 캐슬부터 거짓된 빛의 성지까지 무려 600킬로미터의 거리를 한 번에 주파했다.

중간중간에 있는 착점에는 고개조차 내밀지 않았다.

'가장 높은 산꼭대기마다 숨구멍만 뚫어 놓은 정도지.

숨구멍 뚫느라 시간이 더 걸렸다는 게 문제지만.'

오러를 깨우친 그들이라도 엄청난 무게에 짓눌린 상태로 8시간이 넘게 이동하는 일은 엄청난 스트레스.

가장 밑에 깔려 있던 기사들이 넋이 나간 표정으로 널브러져 있는 동안 가장 먼저 내린 마법사 플레이어이자 행정관이 책자와 만년필을 꺼내 들고 소리쳤다.

"자자! 30분 정도 쉬었다가 아이템 분류 시작할 겁니다!"

"어디 아프거나 몸에 문제가 있으신 분들은 손을 들어주세요!"

나는 300명이 넘는 플레이어들이 소란스럽게 움직이는 모습을 지켜보다 다시 영주성에 들어갔다.

그리고 옥좌에 앉아 내면을 살핀다.

팟!

이제는 제법 익숙하게 내면세계로 진입한다.

쿠구궁!

내면세계가 흔들린다. 짐작하던 일이었기에 당황하지 않는다.

"……역시."

정신이 확장된다. 내 정신과 육신을 통로로 삼아 휘몰아치는 차크라의 흐름이 느껴진다.

나는 차크라의 경지가 3층에 도달했다는 사실을 깨달았다.

변화는 그것으로 끝이 아니다.

한쪽 벽을 가득히 채운 바둑판, 그곳에서도 도드라져 보이는 9개의 맥(脈).

딱!

그중 광신자 에드워드가 차지하고 있던 우변화점에 백돌이 놓이자 수련한 적도 없던 요소가 마치 봉인에서 풀려나듯 저절로 깨어나 선명한 존재감을 흩뿌리기 시작했다.

빛을 갈망하는 이들. 특히나 종교인들이 많이 각성한다는 속성계 요소.

빛(光).

나는 현문(賢門)에 다다른, 그러니까 완성자급 빛(光)의 요소가 내 소우주에 깃들었음을 알았다.

눈을 뜬다.

우웅!

정신을 집중하는 것만으로 눈앞에 빛덩이가 떠오른다. 나는 손가락을 휘둘렀다.

팡!

쏘아진 빛줄기가 마치 물리력을 가진 것처럼 가구 하나를 때려 부순다.

피웅!

이번에는 쏘아진 빛줄기는 부서진 가구 파편을 태워 버린다.

"와…… 좋은데?"

빛을 여러 가지 성질로 활용할 수 있다. 레이저 빔처럼 열을 발생시킬 수도, 섬광탄처럼 광량을 높일 수도, 마치 화살처럼 일시적으로 물리력을 부여할 수도 있다.

물론 물리력을 부여할 수 있는 건 아주 잠깐에 불과해 얼음의 속성력처럼 갑주를 만든다거나 하는 일은 불가능하지만, 빛이 가진 속도는 상상 이상의 강점이다.

"아, 역시 여길 지키고 싶은데."

한탄한다. 이 화점을 빼앗기면 성장한 차크라에 다시 제약이 걸린다는 사실을 알기 때문이다.

하지만 이것은 욕심.

내가 이 자리를 계속 지키고 있거나 어마어마한 병력을 주둔시키지 않는 이상…… 화점을 지키는 것은 불가능하다. 혹, 가능하다 하더라도 황금 같은 병력이 소모되고 말 것이다.

충분한 과금력이 모이면 언제든 다시 차지할 수 있으니 지금은 지금의 목적에 충실해야 했다.

"정찰 시작하겠습니다!"

팟! 팟! 팟! 팟!

충분한 휴식을 마친 40명의 궁수 플레이어들이 대형 펠리컨(영웅), 거대 독수리(영웅), 그리핀(영웅), 어둠 박쥐(영웅) 등을 소환해 하늘로 날아오른다.

병사들은 산처럼 쌓여 있는 아이템을 분류하고 기사들

은 병사 몇을 데리고 성안을 탐색하기 시작했다.

나는 그 모습을 잠시 지켜보다 랜드웜에게 돌아왔다. 대기 중이던 지휘관이 내게 두꺼운 책을 넘기며 보고했다.

"충! 생존자 및 서적 수색 시작했습니다. 귀환 포인트는 와일드 보어 성이며 아이템 분류 후 본격적인 수색을 이어 나갈 예정입니다!"

"그래. 특이 사항이 생기면 보고하고."

"충!"

지휘관을 보낸 뒤 적당한 자리에 앉아 책을 폈다.

정해진 페이지를 읽기 전 생각한다.

"쓸 만한 작품은 언제나 나오려나."

장편 소설이 하루 이틀 만에 나올 수는 없다. 지구에서처럼 평소에 써 둔 작품도 거의 없을 것이다.

1차 공모전 기간을 1년이나 잡은 게 바로 그런 이유.

그리고 그 1년이라는 시간 동안 나는 내가 할 수 있는 일을 하기로 했다.

"로그아웃."

지구로 돌아간다. 온몸이 형편없이 쪼그라드는 듯한 거지같은 감각과 함께 내 시야에 모니터 화면이 들어온다.

나는 소리 내어 방금 읽은 책 내용을 읊으며 타자를 쳤다.

"삶이 삶이 아닌 자들에게도 죽음은 다가오기 마련. 나는 시체가 꼭 쥐고 있던 술병을 빼앗아 들었다."

내 성과 세력을 통째로 빼앗겠다고 쳐들어왔다가 그대로 멸망한 명 제국의 포로들이 가지고 있던 소설이다.

제목은 웃는 검은 취하지 않았다(笑劍不醉).

굳이 말하자면 무협지다.

↳뀨뀨2020 : 흠. 묘사가 과하다는 단점이 귀로 들으니 괜찮은 것도 같고…….

↳♡엠퍼러♡ : 황제 오빠 목소리 너무 좋아요♡♡ 언제 노래도 해 주실 수 있나요?

↳담배대신이쑤시게 : 크. 완전 느와르네. 등장인물이 너무 약해서 불편하지만…… 그래도 좁밥들 특유의 치열함이 있네요.

다행히 반응이 나쁘지 않다. 나는 한 페이지를 다 쓰고 커피잔을 들었다. 그리고 입술만 적시며 컵이 입을 가린 틈을 타 말한다.

"로그인."

"로그아웃."

지구의 몸 상태는 형편없다. 그냥 앉아서 소리 내 책을 읽는 것만으로 목이 쉬고 앉아서 키보드를 두드리는 것만으로 손목에 문제가 생길 정도.

그러나 상관없다.

"로그인."
아르데니아로 들어서는 순간.
뿌드득!
척추가 곧게 펴진다. 몸에 쌓이던 피로가 감쪽같이 지워져 버린다.
"로그아웃."
계속해서 책을 읽는다. 요즘 매일 이루어지고 있는 일과.
초반 좋지 않던 리플들도 이제는 상당히 친절해진 상태다.
지루함을 못 견딘 시청자는 이미 다 떠났기 때문이기도 하다.

↳핫바디버디 : 황제님! 굳이 타자 치지 마시고 음성 인식 기능을 쓰세요. 모델을 보아하니 로드캣21인 거 같은데. 기본 기능에 포함되어 있습니다.
↳감튀튀 : 와. 이거 실시간임? 미친 거 아님? 411시간째 방송 중인데 잠은 카메라 앞에서 자는 거?
↳낙지볶음 : 황제님 잠 안 자고 계속하세요. 고위 능력자신 듯! 어르신급이라는 이야기도 있던데…….
↳잠만자요 : 아니 그것보다 무슨 소설을 옛날이야기 하듯 끊기지도 않고 몇 날 며칠을 읊어…… 와. 이게 가능한 일이냐?

↳우란 : 재연 오빠! 열심히 하는 모습 너무 멋지다! 고등학교 때 오빠 좋아했었는데…….

↳낙지볶음 : 어! 황제님 동창이에요? 그때 황제님 어땠어요?

↳우란 : 우리 학교 전설이에요! 일진 사냥꾼이라고 불렸어요!

↳낙지볶음 : 아, 그건 좀 오그라 드는데…… (정색).

↳감튀튀 : 아니 일진이 설치면 정의신의 사제를 부르면 되지 뭔 사냥을 하고 다녀 ㅋㅋㅋ

"로그인."

반복한다.

"로그아웃."

반복한다.

나는 알고 있다. 한탕 대박의 맛은 달콤하지만 결국 은행 잔고는 반복되는 매일로 쌓아 가는 것이다.

이렇게 매일매일.

매일매일…….

차분히, 그러나 멈추지 않고 쌓아 나간다면 그 결과는 한탕 대박 따위와는 비교도 되지 않게 달콤…….

"위대한 황제 폐하께! 지고의 보물을 바치옵니다!"

"……."

나는 오랜만에 아이언 캐슬로 돌아와 수십 명의 마법사

와 마주하고 있었다.

나는 시녀가 들어다 바치는 책을 받았다.

그리고 말했다.

"로그아웃."

지구로 돌아온다.

"하, 하하! 하하하하!"

웃음을 터트린다. 그리고 소리친다.

"한탕 대박……! 와! 13억 금방 갚겠는데!?"

아르데니아 모든 마법의 원류.

세상에 존재하는 모든 주문이 들어 있다는 환상의 서적.

황금마탑의 [마도전서]가 내 손에 들어왔다.

(열일하는 과금 기사 6권에서 계속)